黃載興著

勉學集

熠雨辰敬題

國家圖書館出版品預行編目資料

勉學集/ 黃載興著. -- 初版. – 臺北市：文史哲, 民 95

面： 公分

ISBN 957-549-677-9〈平裝）

1.論叢與雜著

078　　　　95010907

勉 學 集

著　者：黃　載　興
出版者：文　史　哲　出　版　社
http://www.lapen.com.tw
登記證字號：行政院新聞局版臺業字五三三七號
發行人：彭　正　雄
發行所：文　史　哲　出　版　社
印刷者：文　史　哲　出　版　社
臺北市羅斯福路一段七十二巷四號
郵政劃撥帳號：一六一八〇一七五
電話886-2-23511028・傳真886-2-23965656

中華民國九十五年（2006）六月初版

ISBN 957-549-677-9

勉學集 目錄

貳　信念篇

參　感懷篇

肆　盡心篇

伍　保健篇（附錄）

我所了解的黃載興先生（代序）

黃敘倫

黃載興先生，又名培元，原邵陽縣第十六區維一鄉孫家橋人。他開始啓蒙讀書，就在離家四十華里的藍田（現漣源市）四區高小。這所學校是一所校風極爲嚴格、教學質量最爲突出的學校。他在該校讀書，由於勤奮學習，成績優異，學校准予他提前一年半畢業，該校畢業後，恰好省立第一中學因抗戰，由長沙遷來安化橋頭河招生辦學，他在數以千計的考生中以優等成績名列前茅，錄取該校初中部學習。歷時兩年，又因受分區辦學的影響，該初中部的學生去到安化東坪資濱書院的省立第五中學學習。先生在該校畢業後，繼續考入邵陽省立第六中學讀書。這時邵陽遭日軍進犯，學校只好搬遷。載興先生家裡因受抗戰影響，經濟來源困難，他的讀書費用，全賴其父親開設小型印刷書店，鼎力支撐，以供其就讀之需用。他在省立六中畢業後，至一九四八年，爲求深造，負笈從邵陽乘貨運便車到湘潭，幾經舟車輾轉到上海。當時正是內戰緊急關頭、局勢艱危，生活困難，求學一途，已完全失去希望。旋得大方塘（原屬邵陽，今屬漣源）族人文英（族中姑侄）之丈夫張鋒先生的介紹，得以隨部去到台灣，在台灣繼續完成了大學教育的夙願。大學畢業後，在台灣擔任教育行政工作。

載興先生自一九四九年去台灣，歷時四十二年之久，始返家鄉。但他在這段時間裡對大陸故鄉之情，寢寐沒有忘卻，一九九一年先生組織旅台返邵探親代表團（任副團長）回鄉探親。他一下車，見到故鄉親人和見到大陸新貌，眞是激動得熱淚縱橫，感慨萬千。但由於此次是率隊前來，假期不長，所有許多離情鄉思，未及盡情傾吐。第二次個人回家鄉時，當其弟黃敬先生向他介紹家鄉新邵、漣源兩縣交界處孫家橋段的公路尚未接通，有感交通不便，擬發起當地群衆自力更生接通此路時，向先生求援，而先生即欣然應允。並說：「我們兄弟是受父母艱辛撫養而成長的，我父親炳文公在世，是一個開發地方資源事業，銳意改革的人，我們兄弟今天趁此機會，盡力完成此一義舉，旣爲桑梓交通事業盡到了力所能及的義務，又繼承先父遺志，可堪告慰先父在天之靈，又何樂而不爲！」

載興先生自得其弟黃敬先生之建議後，毅然以修建好新漣縣界孫家橋路段爲己任。和其弟立即去長沙交通廳、對台辦；婁底和漣源交通局、市兩級政府領導同意，慷慨解囊先後捐獻人民幣拾萬元。支持修建該路橋樑之用，更督促其弟黃敬先生以身作則參加修建工作。因此黃敬先生遵照其兄指示，不分晴雨和寒暑，親臨工地工作，經時兩年之久，黃敬沒有後退一步，任怨任勞直至橋樑與路面完全竣工達到通車而後止。現在新邵到漣源、婁底班車，在這條公路上來去如飛，暢通無阻。對增強各地運輸和暢銷當地物資，出現了一個嶄新的面貌。這完全是先生海外歸來，造福桑梓的一種眞誠體現。

載興先生能如此熱戀故土，熱心公益，不是出自偶然，而是受到家庭傳統教育的陶冶所致。因爲他的祖父余澄公爲清光緒增貢生加光祿寺署正。平生治學、治家，不苟一絲，於地方公益，更爲景仰，例如：①籌儲義谷，賑濟飢民。②里有溺女者，必懲其父母。貧戶艱於養育者，籌款資助育活之。③除盜安良，以扶地方正氣。而於著述方面，亦多善本，因世道滄桑，散佚殆盡。先生兄弟僅記得其祖父一幅堂聯：「盤錯艱難，勉承祖志；操持清白，恪守家風。」這幅聯語，對後人爲人處世是有其教育意義的。而先生的父親炳文公是公立高等師範畢業生，一生主辦教育，責任在己，權利屬人，即縣裡備案是黃炳文當校長，而學校實際工作，從沒有要黃炳文參加過。但他全不計較得失。只熱衷於地方開發和改革。如他開發龍山礦藏，興辦雄源、方福兩公司銻礦，以及改革龍山造紙業，製造丁貢紙，品質精良，聞名遐邇，卓有成效和貢獻，地方群衆，悉皆稱道。因此，先生之操持清白，作風正派，作事認眞，忠信自守，生活儉朴，是與其家庭影響分不開的。據先生自己所稱：「我一生是個誠朴的公務人員，從沒作過工商業，我的每一分錢，都來自勤勞刻苦，從俸給中節蓄所得。我每次回鄉，在往返旅途中，很難住進賓館，進過餐廳，住的都是招待所，吃的是普通餐，我的這樣儉朴作人，其目的是希望有助於我的願望的實現。」

載興先生的願望到底是什麼呢？他的願望之一，是要繼承祖父和父親遺志，不圖個人享受，要爲祖國、爲桑梓做些有益於人類的公益事業，以期造福人群。如此次協助支援孫家橋路段的興修就是一例；他的願望之二，是要培養後一代，爲祖國輸送人才。現在他的兩個兒女，一畢業台灣師範大學，一畢業加拿大大學，惟恐他們今後寄居海外，難於自己回到故土，容易與祖國故鄉情感疏隔。正在爲出版《勉學篇》文集做編撰準備工作，爲編撰成書出版提供資料，留給來者，使之永遠明白自己是中華炎黃子孫。他的願望之三，是渴望逐步增進兩岸的關係。

敘倫先生為勉學集成書致賀

定成兄書贈名聯

民國七十年左右攝影

黃載興、王培俊民國六十年三月廿九日結婚合影

黃載興、王培俊結婚三十四週年全家福（民 92 年 3 月 29 日）

獎狀

查本校七十二學年度第廿一屆
畢業學生黃克明在本校
品學兼優
成績優異特頒此狀以資鼓勵

光仁小學校長 施麗蘭

中華民國七十 月 日

克明光仁畢業獲得品學兼優的獎勵

獎狀

查五年級孝班學生黃于藍
七十四學年度上期積滿榮譽
獎章兩枚依本校學生獎勵辦法第
八條第三款之規定給予榮譽獎狀
以資鼓勵

榮譽

光仁小學校長 羅慧蔓

中華民國七十 月二十一日

于藍是光仁小學畢業的績優生

黃載興、王培俊夫婦合照

于藍加拿大 RVERSON 大學畢業照

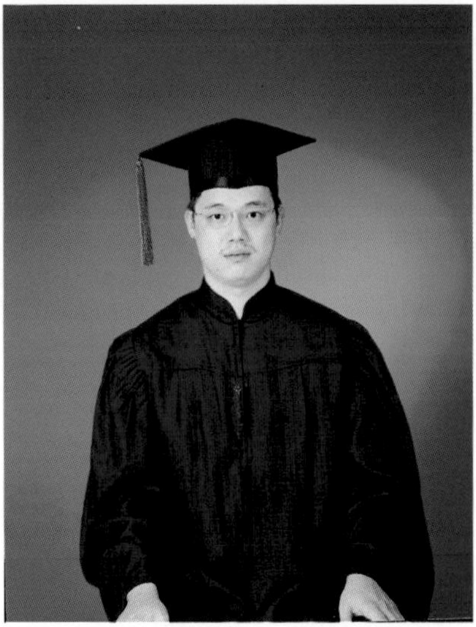

克明國立師範大學畢業照

于藍在加拿大有媽陪著讀書用功

克明伴媽怡樂，奮發自強。

培俊金門行

岳父母閣第攝影留念（前排岳父母、左二姊培倫、右一大姊培信、後排左一培俊、左二培仁、四弟培傑夫婦）

姨媽在北京約集親友合照（自右至左：姨媽、作者與培俊、表妹醫農、洞生、許明與夫君）

湖南省立六中留台校友合影（前排為蔡筆農伉儷、後排左起劉英逸、潘鍊伉儷、我與內人）

第一期同學畢業五〇週年，週末派同學合影

總幹事陪同華視陳祖耀將軍慰勞澎湖官兵

陸總二處賀雨辰處長晉任，副處長代表全處官兵致贈紀念品

空軍陳總司令頒獎

澎防部的工作是聯合的

校長周中峰將軍主持幹部喜宴

民五十四年夏與陳侃偉教授晉謁副校長梁孝煌老師暨師母留影

陪同澎防部司令官陶光遠將軍主持會報

92 師師長莊國華將軍伉儷慰勉軍政幹部

23

在學員指揮部多得校長的教導

黃載興晉任陸軍少將，接受國防部長宋長志上將致賀（民 71 年 1 月）

主任王上將致賀

登合歡山

總幹事王恕民將軍慰勉部屬

2000 年 4 月 14 日返鄉參加祠校落行禮，受頒「氣厚源清」匾額

民 79 年 9 月組探親團首次返鄉探親，與培本、培清弟暨全體家人合影

壹　小傳篇

一、地方古樸　歷史悠久

我生長在湖南邵陽的東邑。

歷史上古無邵陽的名稱。它在最早是荊州，春秋戰國時屬楚地，秦始皇統一中國，分全國爲三十六郡，邵陽屬長沙郡。到三國初屬蜀，後來入吳，改爲昭陵郡，郡治設在今邵陽市。

到晉武帝（公元二八〇年）平定東吳後，改昭陵爲邵陵。邵陵郡下轄：邵陵、邵陽、高平、武崗、都梁、天夷、建興七個縣，邵陽的名稱從此時開始。

邵陽地處湖南省中部，略偏西南，境內有邵水，資江二水流貫，雪峰山的支脈天龍山、板竹山逶迤其間，山河秀麗，民風淳厚。

地方人文受中原文化影響，開化甚早，英才輩出，如清代思想家魏源，反對袁世凱帝制的蔡鍔，民國以來，對外交、經濟、軍事，深具貢獻的蔣廷黻、尹仲容、羅機、羅揚鞭，都是中華民族歷史上的一代人傑。

二、書香門第　桑梓尊榮

我號培元，名載興，民國十九年十二月五日生（政治幹部學校憑繳高中畢業證核定），居邵陽市東北九十里的孫家橋三鳳村，原屬於邵陽縣轄地，一九七三年改隸漣源市，房屋拆除，闢建白馬水庫，住民多遷居鄰近地帶，或遠徙他鄉，人物已非昔比。

我的祖父湘景公，號余澂，在十四、五歲時，父親過世。家境清寒，賴母石太安人苦茹冰蘗，泣教力學。後參與科試得增貢生加光祿署正，促使其一生致力爲地方事業排難解紛，從不計較個人的功名利祿。曾辦：義穀局、荒年研米平糶，救濟災黎；當時盜匪橫行，經將劇盜繩之以法，境內乃歸肅然；又里有婚嫁習俗，重嫁奩器，民多爲生女所苦。吾祖乃邀集地方賢達，出資興辦育嬰會，資濟貧女，受惠者不忘，咸尊稱余澂先生！

祖父除重地方事業外，兼顧家庭倫紀敦飭，撰家規二〇條，編錄黃氏歷史名人言行錄，並親書「盤錯艱難，勉承祖志；操持清白，恪守家風」楹聯，懸爲教誡。

湘鄉謝康寧聞我祖父正直，力邀合採後洞沖，苑岡洞龍山銻礦礦藏，微有獲利，祖父乃營屋宅於肖家園，卜買新山長塘虎形墳山，於後園種梅、菊、蘭、竹，春秋佳日，倚徙其中，怡然有葛天無懷之慨。卒於民國九年二月二十九日，享年五十有三歲。

家史氏載富贊曰：淮房余澂，諾言必謹。良善積德，事擇必行，繼承祖訓，治家典型。爲人清正，愛憎分明，教子有方，物理人情。籌捐勷助，濟苦扶貧。大荒年間，義穀良民。辦育嬰會，拯救生靈。操勞族事，與煥齊名。

祖父過世，元配周安人辭世亦早，享年僅廿六歲。撫繼配長子我父萬戶爲嗣。我父生母劉安人，爲祖父繼配，生三子、三女，除我父親萬戶外，有二叔，萬崧，字炳鑫，號保南，黃埔軍校七期畢業，曾任部隊營、團長。公元一九四五年日本侵華期間，回鄉任惟一鄉鄉長，武裝民衆在大台山嶺和漣河一帶部署抵抗，日軍聞聲向新化方面逃竄，使我鄉未受大害，二叔配石氏，生子三：載明、載茂、載幹，均受良好教育。

三叔，萬森，號保衡，公元一九一〇年三月三日生，中央軍校武岡分校畢業，歷任隊職。公元一九四一年十二月廿一日歿於耒陽軍次，運柩歸葬東瓜沖祖山壬午山向，配彭氏，生子載品，女雪銀、其銀、蓮銀，住湖南漣源婁底市，桂馥蘭薰，家庭美滿。

黃氏家族設籍台灣者，尚有紹文叔母、文韶叔父母、禮清兄嫂、一哲後嗣，以及與我先後來台的鹿賓弟，我們都曾備嘗艱辛，歷經種種困苦，所幸成家後，夫婦和諧，兒女孝順，彌補了一生的幸福！

三、我父繼志 創業辛勤

父親册名炳文，號保民。公元一八九六年十一月十七日生，（一九七〇年七月十七日辭世）邵陽縣高等舊制中學畢業後，鑽研西方科學，興辦地方教育與工業改革，曾做過漣河小學校長，培育民族幼苗，並於龍山自建紙槽，研製丁貢紙，品質精良，深爲各方稱道；惟以交通阻塞，拓展不易，迨抗戰軍興，龍山紙、礦等業，運銷全面受阻，致經濟來源枯竭，不僅畢生抱負與夙志受到環境重重打擊，且整個家庭生活與我兄弟的撫養、教育亦均陷入了困境！

我與二弟培本，三弟培清當時年齡均幼，除協助父親在孫家橋經營一家小型印刷店，勉強維持生活外，實無力爲父親解除沉重的債貸負擔！

一九五八年孫家橋至白馬寺受命闢建白馬水庫，原有房屋拆除，我家經營的「炳記印刷店」又經公家沒收，弟弟原任小學教師所配的公糧亦從此停發，生活陷入絕境，逼使我父母分離，各隨同弟弟居住；母親隨二弟遷至厚里，父親則和三弟住在水庫岸側，均是臨時搭蓋的茅舍，渡過淒涼晚年！

四、我母負重　憂患終生

母親姓李，名清隸，爲邵陽西坪下漁溪藍翎五品銜李鳳梧之長女，公元一八九七年十月十七日生（一九七一，〇七，一六辭世），母親有三個兄妹，長兄柏材，出身蔡鍔辦的「講武堂」，曾在譚延闓、唐生智屬下任事，早年歿於軍次。現健存的有表哥李鎮湘。表妹李琳，子孫滿堂，學事業均有成就，分別居住湖南長沙、河南洛陽。二兄柏榮，畢業湖南第一師範學校，曾出任故宮博物院代理院長，著述甚豐，惟多已散失，現經出版者僅「魏默深師友記」等書。其他倖存遺稿據聞已獲岳麓山書院、邵陽政協出版社收存。

母親幼妹李清貴一九九七年一月十日歿於北京，享年九十七歲，姨父湯攻遐是知名的幾何學家，曾在西陽春元中學執教有年，兩個女兒均從事新聞工作，卓具名望。大女兒許明的夫婿湯禮智先生清華畢業，是一位冶礦專家，曾做過中國冶金工礦公司的副總經理兼總工程師。二女兒許莉，號醫農，出身北大，在貴州人民出版社負編審之責三十餘年，主編及著述無算。我曾閱讀過她的二部書：一是一九八四年出版的「青年生活向導」。另一部是「山坳上的中國」，其他著述甚多，退休後，爲北京三聯出版社羅致，繼續於編著事業。

母親幼年時，在邵陽愛蓮女校讀書，自過門到黃家後，爲生活所累，遭遇過種種困難與坎坷。一是父親事業失敗，索債盈門，家庭生活無以爲繼；再是祖父過世甚早，家道中落，我母親在困境中，不僅扶助無人，反橫遭種種欺凌。她曾裹著小腳，攀越幾個小時路程上龍山，去照料僱工造製的紙槽；也常攜著孩子，東奔西跑，藏身無門，我們兄弟在稚齡中，不知陪著母親流過多少淚水！

記得我在小時候，左手中指曾受病毒感染，痛苦不堪，日夜啼哭，不能安寧，因爲家鄉偏僻，無新的醫藥設施，家庭窮困，亦無力遠道求醫；惟靠母親央請地方的祕方醫生給我服用草藥，每當夜間發痛時，輾轉不能入睡，母親整夜陪我唸救苦救難觀世音菩薩聖號。祈求降福，保佑免除苦難，就在這種萬難的環境中，注入我小小心靈的一線希望與靈念；後來我的手指不藥而癒，前指雖短了一小節，但母親的愛卻給予我內心永恆的溫暖，信心使我堅強起來，我從此亦深悟到心靈的安定，信念的虔誠，意志的剛正，對一個人克服難關，走向成功的重要性！

五、日寇入侵　離亂學程

生活在艱困的環境中，教育問題，無疑是首先會遭遇的難題；但父母對孩子的讀書從不輕易放棄！決定先送我進當地的私塾讀了二、三年古書，接著再進四十華里外的藍田四區高小，這所學校的校長梁虎光先生教學嚴格，聞名遐邇，加上家境的困窘，使我深知讀書的不易，也加倍用功，功課日有進步，僅一年半時間，學校就給我提前畢業——並考入從長沙遷來橋頭河的省立第一臨時中學初中部。

因爲日寇侵華，抗日戰爭爆發，長沙受到戰爭的破壞，原在省城的許多學校都內遷到安化藍田和橋頭河，這兩個偏僻的都市，一時也就成爲湖南的文化、教育城，當時，遷入和成立的學校，在藍田有師範大學、長群、明憲、周南、文藝和妙高峰等中學；遷入橋頭河的有省立第一臨時中學，這所學校是由長沙內遷的各省立學校合組而成的，校長是名教育家熊夢飛先生，我們屬初中的男生部，主任是羅希白先生，他全心的來辦這所學校，雖然，校舍是臨時借用的「易氏宗祠」，但學校用盡苦心來幫助學生，深深的得到所有學生的尊敬！

我們在橋頭河僅有一年，政府爲推行分區設校制度，將初中部改爲省立五中，並將校址設在安化東坪資江沿岸的塘家觀——這是清末「資濱書院」的遺址。環境天成，文物優美，格外令學生留下難忘的回憶！

我在初中感情很好，足跡印滿資濱的同學，有長沙籍的曹文燦，益陽的徐南軒、曹聖高、曾克成、瀏陽魯光球（名教育家魯立光的公子），岳陽的李耀華，以及陳海川等，惟畢業後，數十年來未曾連繫，深增懷想！

高中我讀的是省立六中——是邵陽的最高學府。儘管當時的省立中學僅需期繳學費四元，但入校生活所需仍多，增加家裡甚大負擔，均賴父母的刻苦撐持。

高中第一年是在邵陽讀過的，但日寇入侵，戰火已波及邵陽，學校不得已遷往新化白寧，借住唐氏宗祠開課，不到半年又遭火燬，廬舍爲墟！學校再遷黃土坑張氏宗祠。這是校長的家鄉，日寇就在附近沿著資江洗劫燒殺。我們也不敢在宗祠裡上課，教務主任馬昌民老師陪著我們往山上逃，大家躲躲藏藏，內心的痛憤，不可言喻！

所幸，在邵陽的校址經過復建完成，得遷回原址復學，我住校外南門黃氏家祠「無雙堂」，跑外讀，自己料理生活，母親最不放心，每經過二三天的步程，到城裡來看我，然後又從城裡返回家鄉。只要看到兒子，她就高興安心了。我也在父母的關懷和老師的教導下，伴隨著敵人的砲火，錘鍊得更堅強！

現在台灣六中常見面的有蔡筆農、劉英逸、潘鍊……等學長，談到母校時仍有不勝滄桑之感！也有難得的快慰！

六、負笈千里　祖志勉承

中學的學程把我錘鍊得更堅實。我常勉勵自己：要堅強自立，使有能爲國家報效的一日。

在民國三十七年農曆年的二月初九日，我與白馬寺的劉炳先生挑著簡單的行李離開了溫暖的家，我們從邵陽搭貨運便車到達湘潭，再輾轉到了上海。

原想到上海先找一份工作，暫時維持生活，然後俟機升學，但到了上海局勢已亂，很多機關、工廠或者搬遷、或者減員，學校也在停辦或遷移中，找事不易，讀書更不知走向何方！

這時，青年軍二〇七師從東北來滬整編，我承家鄉大方塘文英姑的先生張鋒（時任司令部辦公室主任）的介紹，並經過考試，被任爲師部委二階書記的職務，在三十八年二月十二日隨部來台，駐防老湖口。

青年軍受孫立人將軍的督導，訓練極嚴，儘管是司令部幕僚，同樣要每日上七、八小時的操課。孫將軍時常穿著他的長統馬靴，帶著笋皮草帽來部督訓，精神奕奕，給官兵極大鼓舞。經過近兩年的嚴格訓練，我們已具備軍人所需的體力與刻苦奮鬥的意志力！

正在此時，消息傳來：政府在四〇年七月一日成立政工幹部學校，校長是胡偉克將軍，教育長是名教育家沈祖懋先生。八月十六日報名，有志的愛國青年，從各地踴躍來校報考，總共報考合格的達五千一百多人，經過兩天的筆試與嚴格的口試，分研究班、本科班、業科班三班共錄取一〇三七人，因爲報考人數的多，五個報考者才能錄取到一人，在任何大學考試也難見到，可見來台一般愛國青年的報國心切與對政工幹部學校號召反映的熱烈。

我幸運的獲得錄取本科（就是後來的政治系），於十一月一日開學。

這所學校的教育宗旨，是在培養革命的幹部，去完成中興的革命大業，對學生的培養，除學識、領導能力外，特重品德的要求。學校的校風就是「誠實」兩個字，學校創辦人蔣經國先生曾對學生講話，特重「誠實」與「榮譽」的關係——他說：「榮譽的基礎是誠實。」「做一個革命幹部，他的心、口、行動必須完全一致，與時並進，才有生命，才有意義。」

校長是胡偉克先生，他心胸開闊，意志昂揚。教育長沈祖懋先生是一位有名的教育家，另外辦校長官還有王昇老師、賴琳老師、梁孝煌老師……都極受我們學生的愛戴。當時，各班系的教授都是教育界一時碩彥，如我們政治系的黃昌穀、黃季陸、傅啓學、高旭輝、但蔭蓀、鄒文海、左潞生、樓桐蓀、高啓圭、陸鐵乘、汪大鑄、李方晨等先生都以學校爲其唯一的傳導所，灌輸全部的心力，得到學生的崇敬。

我經學校修業期滿，得到法學士的學位，完成大學的學業，更緊要的使我能誠誠懇懇做人，實實在在做事，堅定意志，勇往邁進！

七、潛心報國　服務人群

民國四十二年四月三十日我們完成學業，離開了學校，分別乘車向分發工作的單位報到。我們十幾位同學搭的一部車把我們送到了桃園空軍的基地。

我和研究班的徐銀高學長分到虎瞰部隊——這是一支最新兵種的飛行部隊。開始時，我內心頗有幾分惶恐。但我常想到我的先祖訓勉的兩句話：「盤錯艱難，勉承祖志。」不管在如何艱難中，我的祖父無不以服務人群、克服困難，去解決問題；何況，我們在學校幾年時間師長們更給了我們應有的學識，和如何以誠以實去開展工作的方法。

我也在邊工作邊研究中，體認到空軍的特性：

科學的、藝術的：空軍是現代化、科學化、機械化的軍種，具有最新式的科學設備，和各種的完備制度，充分表現出分工合作的科學精神，可是在生活方面，戰鬥方面，又近乎藝術的化境。

複雜的、整體的：空軍各部門因爲業務複雜，而分擔不同的任務，但這些部門的業務與工作，必須在一個完整的組織與制度之下，密切配合、統一指揮，靈活運用，不可稍有脫節，所以又是整體的。

基於此一體認，我在各個部隊工作中，除了抱著誠實服務的方向外，並把握著以下的幾個要領：

1. 實踐力行，切戒空言。
2. 秉持堅忍不拔的人格，遇到困難，均能貫徹到底。
3. 要涵養文武兼備、動靜咸宜的智能與活力。
4. 要具備科學知識的修養，充實學能，適應部隊需要。
5. 建立情感，以至誠的心服務官兵。

我在「虎瞰」部隊服務了四年的時間，我把部隊視如我的家，一位士官同志曾就他的感想寫給我一封信，他在信中說：「……我覺得你，不計艱苦，不言代價，吃人家不能吃的苦，做人家不能做的事，和士兵們生活在一起，尤其你那誠懇樸實的作風更令人欽佩，你現在的職位雖不高，但你做事的精神是崇高的……」這封信是我服務基層的寫照——但願也已助我踏上愉快的前程！

四十六年十一月二十九日我奉到命令調花蓮空軍防校擔任學員生訓練的任務，對「虎瞰」我確有許多依依難捨之情，但總得要離開。隊上爲歡送我安排了一整天的節目：舉行盛大的歡送會、攝影、全體飛行員餐會、贈送紀念品。我帶著長官、全體官兵無限的熱忱和陳懷自己著用的飛行大衣，離開了「虎瞰」！

十一月三十日，我來到花蓮空軍防空學校。

花蓮地處台灣東部，環境清純，有很好的教育場地，隊職人員都是防校前期畢業的高材生，本身品學兼優，工作盡力，所以接受任何教育訓練班次，均有傑出的表現，其成績決不亞於台灣其他的軍事院校。

在四十八年，空總決定將全軍預備士官集中到防校來實施入伍教育：一方面增強其在空軍服務的學能；一方面也加重其對空軍的熱愛，有助參與飛行員的報考，使命相當的重大！

學校臨時成立了教育任務編組。隊職人員由防校暨防砲部隊選優調派；隊長是由學術才能均極為卓越的於建勛先生擔任，我被派任為指導員，幾個月的訓練既嚴格而又合理，不僅完成了入伍教育的使命，對飛行員的報考也有很好的成績。

在防校經過三年多時間。最後奉命與董維惠、陳斯劫、孟運樂代表空軍參加國防部的政治教育論文組會考。

政治教育會考的場地設在復興崗。我們因此又能回到母校。

學校校長已由周中峰先生接任。周先生是我服務二〇七師師部時的副師長，非常愛護部屬，會考之後，我得校長的栽培，調回母校任校長室祕書工作。當時，校部編制：校長以下還有副校長梁孝煌老師、教育長楊銳老師、副教育長隋林春老師。學校的每位長官都以如何竭盡心力爲國家造就幹部人才爲惟一的目標。除了「一切爲教育，一切爲幹部」之外，我們看不到這些師長們還有自己的享受！

周校長在任滿兩屆共四年，才離開學校調長警政署。我也在此時調學校教育處考核科科長，主管各班期考試與學籍管理業務，職責甚爲繁重；加之前幾期補修學分案有待解決，更增重負擔，幸考核科內同仁都有高度的工作精神，主管學籍案的袁韜兄在科服務時間甚久，不僅業務熟悉，且與各有關部門關係良好，許多積案得能逐一清理解決，前幾期補修案也在此一精神的激勵下完成。

處長陳霢生先生對工作同仁一向極爲關懷。我在考核科工作了四年，處長有意給我在處內調升，正當國防部擬將教育處副處長精簡爲一個專員的同時，處長乃報請我接任專員職缺，後來陳先生雖然調升學生班主任，由明驥先生調長教育處，明先生仍支持我調升的原案，經過校長羅揚鞭先生連次的召見後，我很感謝能繼續在教育處工作。

時間過得很快，我在處任科長、專員職已屆六年。

後來，因副校長梁孝煌老師已任陸總政治部主任，當時二處的處長是賀雨辰學長，我承主任與處長的提攜調任爲二處副處長。經過兩年，直到六十一年又蒙處長楊先生保荐調陸軍九十二師的師主任，結束了我前後十二年的幕僚工作。

當時，九十二師師長是程龍光先生。不久，部隊調防，莊國華先生接任。程、莊都是將領中一時之選。莊國華先生接防後，很關懷師裡官兵的生活，尤其當時金門烈嶼僅有一所設備簡單的醫院，住院的官兵福利也嫌不足，師長同意讓出師長和主任所原有的大小金門水道個人福利津貼，轉用爲補助醫院病患的營養費，此使住院的官兵都能運用這筆錢每天吃一隻雞蛋，也能獲得其他的營養輔助，充分表現了長官取與不苟的廉明，和對官兵的愛護。

我在烈嶼，大、二膽駐防期間，由於各級部隊長領導和政戰同仁的嚴密配合，整個部隊始終保持高昂的士氣，我在這裡也感覺學了不少工作的經驗。在師任滿兩年多過後，奉命調回到母校任學員指揮部指揮官，近四年，我因右手臂曾患顫抖症，不便趕寫作業，報請調教官職，自己對將來發展不做任何考慮。請調的報告到了副校長陳祖耀先生處，陳先生愛護有加，簽請慰留，校長朱致遠先生對我平日的工作十分肯定，沒有批准我的調職。不久我調步校，一年後又奉調澎防部。

我在澎湖的工作表現與貢獻，國防部執行官廖祖述先生來澎時，曾面予嘉獎，並言及東勢方面有意商調，徵求我的意見，我感激之餘，自不能有所考慮，命令發佈不久，就調回東勢，並在七十一年一月晉升少將。

東勢是我最難忘的地方──高層的學識、才華均著名望，我們對工作的推動，亦極具成效，卻不幸發生意外事故，雖經我妥慎處置，悉力彌縫，但事情的發展，畢竟非我所能左右，不能不引為一生最大的憾事！

以後，我也離開了東勢，到軍友社任職，一生戎馬，退歸民間，猶能在勞軍方面，奉獻我的心力，實在亦是我的光榮。

八、晚成家室　兒女縈心

自三十七年辭別父母，三十八年來到台灣，生活飄泊無定，每念及父母家人，總會興起無限的依戀與感傷！

到四十年我進幹校，畢業後分發空軍工作，四十九年奉調回母校校長室，五十九年再從學校調陸總。辦公地點與聯勤鄰近，我的老同事毛敬之先生服務聯勤，給我介紹了當時在世新專科學校讀夜間部，白天在聯勤上班的培俊，給我留下風度樸實，本質純良的印象，但未動過成家的念頭，直到以後認識在斗六中學教書培俊的父母，對我投注極多的關懷，我和培俊的感情也更加深了一層。

培俊的父親熙昶先生（民六年十月廿六日生於山東諸城，曾就讀山東大學），與夫人結褵六十餘年，育有子女五人，夫人賢淑，家庭美滿，惟培俊自幼身體稍弱，四十九年八月一度曾在台大醫院住院長達六個星期，受到不少的折磨。

培俊意志的堅強，與她對父母的愛，……我感動得流下了眼淚！我不知道我應如何安慰她、照顧她，我也不知我能說些什麼？！但在我心深處：祇會永遠的鍾愛著「我心愛的培俊」。

六個星期是夠長的；可是她忍受了，她把痛苦的一切，轉化爲堅忍與愛心。終於脫離了病痛，使她更健康、更愉快、更美滿！

培俊出院後，我們共同確定六〇年三月廿九日爲我們的結婚日子，培俊把這個確定寫信給父母，父母欣然的同意。於是我們的婚姻：結婚典禮、和宴客訂三月廿九日在台北市南昌街煙酒公賣局康樂廳舉行。恭請主任梁孝煌中將福證，岳父母暨紹文叔父母主婚，處長賀雨辰先生及二姐夫王者光先生爲介紹人，備蒙師長、親友、同學的光臨、愛護，婚禮一切進行圓滿。

接著內人在六十一年一月廿四日生下一個男嬰，取名克明（「克明俊德」之意）。六十三年十月三日生女于藍，都很聰明活潑。當時我正服務金門、澎湖……等外島地區，我既得黨國的培植，給我如此職責，兒女的撫育只有全交給我的愛妻培俊。直到七十六年十月一日我從軍中退休下來，始能與培俊對兒女共同負擔起撫育的責任，但想到以往因工作關係未能善盡親職，不能不時時感到內疚！

克明、于藍年齡僅相隔三歲，兩個孩子後來都入了光仁小學直到高中部畢業，在學校的品德、學業都很好，于藍畢業後經一年的預科教育，具備了留學國外的英語能力；且她喜愛學商，乃考入加拿大RYERSON大學，經四年苦讀，以很高的成績畢業。直到回台灣投入工作爲止。我和培俊則在加先後旅居了一段時間。

克明光仁高中畢業後，考入台灣大學土木工程學系。

台灣大學雖是所非常知名的學校，但學校把高素質績優的學生考入後，並沒有嚴格的管理，和善盡照護培植的責任。

克明是個聰明幹練、堅忍不拔的孩子。後來堅決的離開了台大，續考入較符志趣的國立台灣師範大學科技工程教育學系，於九十年六月畢業（畢業證書：九十學年度第二四一六三六號）；並以好學不倦的精神於九十三年六月續考入資訊軟體人才職業訓練網路工程師班，完成總時數六〇〇小時的學程，平均分數高達八十三・九分。我相信克明有此進取精神，祇要再加注重運動和功課、心性修習、聽取父母意見、多閱讀有關參考書籍（如高普聯考教材），繼續努力，定有成功的一天。

父母對孩子們的鍾愛，是無私而無止境的，惟一盼望的是看到孩子們的努力和成功，此或亦我之所以寫「勉學集」的心意之所在。願我兒：克明、于藍，勇往邁進，開創自己的前程！

九、退休而後　回歸民間

一九九〇年兩岸交流開放後，我首次與邵陽同鄉會理事長羅斌兄組團返鄉探親，經過幾天的參觀訪問，和以後多次的往返了解，深感：大的城市交通建設（如湘黔鐵路）、民生設施（如信合社）已具架構；惟鄉村仍普遍落後，交通沒有與城市貫通，一如幾十年前不僅工業礦藏難以開發，人民生活也十分艱辛；尤其是許多大的宅第市街、宗祠寺廟，受修建白馬水庫的影響，多已拆除，一般住的問題亟待解決。原有的宗祠（在祠內創館漣河書院，兒童上學設施俱全）拆除後，兒童讀書，也成了問題。

我在訪問返鄉期間，發現家鄉這種種困難的問題，與內人培俊一點一滴研商，培俊極表同情，支持我從家庭生活中盡量節省部份的錢來完成一些幫助家鄉的舉措，……內人這項心意，是支持我的最大力量！

於是，在這段時間中，前後三年增添了我須每年積蓄人民幣拾萬元（含個別的）來支援家鄉完成左列三事：

㈠、興修厚里至椅子村塘厚路段的路面與橋樑，並經我二弟黃敬發起村民自力舖修，預算由我支援人民幣約十萬元。

㈡、重建黃氏漣河祠校：主持這項工作的是地方族長黃禮安兄，經費由禮安兄等發起向地方黃氏家人勸募；我與內人捐獻人民幣五萬元（含開辦費一萬元），另在台灣的紹文叔母、文韶叔、禮清、一哲兄、鹿賓、繩典叔、東來、嘉偉均盡力作了樂捐。

㈢、改善生活設施（如水塔、橋樑等）：分由各村自力建設，每村我各致送人民幣八仟元，合共伍萬元。

以上衹是微不足道的小數目，但以我吃一份退休俸的老兵而言，我和家人確是盡了心力。我並無所求，所求的衹是繼承父母，先祖協助地方做了一些亟需解決的事！後來，地方人士為塘厚路的完成樹了紀念碑，黃氏祠校于公元二〇〇〇年四月四日舉行落成典禮，並頒給我「氣厚源清」四個字的匾額。四月五日在我母親墓地遷移之日，厚里鎮和地方五個村的長官、父老、兄弟、親鄰或親臨慰問、或沿途路祭，族長禮安兄說：「如此場面超過當年毛秉文軍長母親的葬禮，特別是，……這是地方有史以來的第一次，這是地方親友、群衆對大娘生前盛德的肯定！」

母親：安息吧！

十、誠正自勵　盡心為人

時光在不斷前進，我走過了服務的路段，踏遍人生的旅程：七十六年從軍中退休後，也為家鄉勉盡我的棉薄，現在想放下擔子，卻仍難免為兒女的前境縈心！

我的家鄉前輩黃敘倫先生，知我最深，曾在「邵陽文史」發表過一篇文稿「我所了解的黃載與先生。」對我鼓勵有加，並極力勸我把自己的生平寫了出來，讓兒女們瞭解根源，作爲兒女們努力的借鏡！

我幾經考慮，乃決定撰寫這篇稿子，並借敘倫先生在「邵陽文史」發表的前文代序；同時或亦有助對我個人願望的瞭解：

我的願望之一：繼承先祖的遺志，不顧個人享受，要爲桑梓做些有益於人類社會公益的事業，以期造福人群！

我的願望之二：培養後一代，明白自己是中華炎黃子孫，勤讀書、勤學習、勤鍛鍊，成爲國家全方位建設的人才。

我的願望之三：期望做好教育規範，昇華本土意識，貢獻一己的力量於國家，兩岸能有達成統一的一日。

這本小集子得告倉卒完成，我先要感謝敘倫先生的提示與禮安、載富兄的鼓勵，我更不能忘記：師長們昔日給我的教導以及賀雨辰學長爲本書署名、指導。我妻培俊給我協助，使能盡心盡力，完成本書。

貳　信念篇

復興中國文化之道

一、引言

自 總統提出「整理文化遺產與改進民族習性」的指示以後，發揚民族文化的運動，蔚成風氣，不但把某些鄙棄民族固有文化的錯誤觀念爲之矯正；同時也爲復國建國的前途拓展了一條成功的道路。

中國文化乃是中華民族內蘊精神力量的源泉，「在承平的時候，一般民衆保持和平的生活，甚至不問政治，而在內外侵凌之下，卻能反抗侵略，推翻暴政，造成英勇壯烈的紀錄」。使中華民族危而復安，亡而復存，創造五千年悠久光榮的歷史者，就是這種民族文化所產生的偉大精神力量，爲其支柱。所以我們在接受歷史上血的經驗之餘，今後當如何去恢復民族固有文化，使民族傳統的「內蘊精神力量」發揚起來，確是我們中國人今日刻不容緩的重責大任；尤其是文化教育界人士，以及每一個革命幹部應該深懍 總統一再昭示發揚民族文化的重要性，積極的去研究，去實踐。

二、中國文化精髓之所在

中國固有學說遺傳下來的，固不止一家之言，但能代表中國文化精神，而一脈相傳下來的惟有儒家學說。其內容幾乎是政治、軍事、文化、教育等等無所不包；但是這個博大精深的學說，是有其一貫的道理的，論語：「參乎，吾道一以貫之。」這個一以貫之之道，就是一個「仁」的道理。我們從四書五經裏便可明白看出這一思想的脈絡。所以 總統說「經書是我們民族文化的精髓， 總理嘗說他的政治思想，是上承堯、舜、禹、湯、文、武、周公、孔子一貫的道統而來的，所謂『文武之政，布在方策』，這些思想的脈洛，就都彌綸在五經四書裏面。」又說：「我們中國的經書，實爲民族精神、民族德藝、民族哲理之所寄託。」所以今日來倡導發揚民族文化，提倡「研經窮理」，不但不是「落伍」，而且是「保存和發揚我們中國文化，……的基本教材」。生爲一個中國人，對自己民族文化的精髓，自然是最基本的智識，但是研究四書五經，亦不可「呆板拘執，泥古不化」，所以　總統在「最好是把四書五經精義之點，重新予以徹底的整理」，以「使糟粕盡去，精義爛然，……使人簡切易知，都能篤信，都會實行，那才可以讓往聖之學，由闇而彰了」。我們從　總統的此一指示中，可以知道經書在中國文化上的地位，和我們當如何去實踐讀經的道理。

三、中國文化與民族精神

文化是人類精神活動的結晶，文化與文明是不同的，正如錢穆先生所言：文明屬於物質方面，……是可以向外傳播，向外接受，文化則必由其群體內部精神積累而產生。所以一個國家的民族精神與文化是互相融結，而不可分離的。民族精神積累而產生了文化，而一個國家的文化也表現了一個民族的精神，最少在中國可以這樣說」。一個不同文化的國家，必然內蘊著不同的民族精神。中國文化既可從儒家一貫之道以表現之，因之，「中華民族，立己則盡分而不渝，愛人則推己而不爭，義之所在，則當仁不讓，利之所在，則纖介無私，不畏強粱，不欺弱小」，充分的表現了中華民族愛和平，尚仁義，崇眞理，抑強權的民族精神。

我們如果再從歷史上看歷代學術的盛衰，所反映到政治的興亡，更可以認識中國文化與民族精神相融結的道理：春秋之世，孔子作春秋，在此一時代有名的忠勇事蹟，和嘉言懿行，如申包胥的絕食，子路的赴援孔子，結纓戰死，以及豫讓、荊軻的慷慨犧牲，……不僅是中國學術的黃金時代，更可以說是中國民族精神的發皇時期；到秦始皇統一六國，焚書坑儒，偶語棄市，經學遭受了摧殘，而秦始皇的天下也僅及二世而亡；到劉漢代興，置五經博士，經學寖盛，於是而有漢代政治武功的隆盛，惟自漢明帝而後，佛學由印度傳入，士大夫漸入於佛，形成魏晉的清談，而五胡亂華適起於此時，造成了中國歷史上空前的黑暗時期，但五胡以異族人入侵中國，終不能毀滅中華文化的偉大精神力量，而結果反爲中國所同化了。迨至唐代孔穎達等纂諸經正義，頒行天下，南北朝以來分歧的經學，於此又告統一，而「貞觀之治」，「開元之治」亦於茲拓基；宋代理學興起，講求心治，提倡氣節，故宋代民族英雄如文天祥、岳飛、陸秀夫等所創下的民族正氣，眞是可以永昭青史。惜由於宋儒意氣過甚，不免陷於黨爭，終影響及於宋代的衰落。至近數百年西方學術傳入中國，於是西歐勢力漸漸東侵，尤以近數十年來一般學者，眩於歐美學說之新奇，謂「天下之美，盡在於斯，而忘其國內之自有瑰寶，甚且弁髦數千來之文獻，因而邪說並起，誠不能不令人痛心！

所以　國父曾大聲疾呼的說：「民族主義這個東西，是國家圖發達和種族圖生存的寶貝」。我們要救亡圖存，首先必須接受歷史的經驗，從發揚民族固有文化，來振奮我們的民族精神。

四、中國文化的民主精神

「民主」在今日是目爲最時髦的名詞。但在中國二千多年以前的儒家學說已闡述得很清楚了。孔子首倡「有教無類」的教育精神，在教育上主張打破一切門第、地域、階級、種族之類別，並由此種思想推演而爲「民胞物與」、「一視同仁」的民主精神。孔子所言「忠恕之道」，就是本於「一視同仁」精神的實踐。忠之古義，係以民爲重。「夏尚忠」，大禹治水，即是忠於民之明證，恕者如心，意即在求推吾心之仁於天下。所以說：「夫仁者，己欲立而立人，己欲達而達人」，「己所不欲，勿施於人」。至孟子所倡：「民爲貴，社稷次之，君爲輕」，國君用人，必俟人民皆曰賢，去人必俟國人皆曰可殺，更是儒家學說從平等的教育精神，推到以民爲本的政治理想的最高發揮，用現代語說，這就是人本哲學，或人文主義的思想淵源。祇是儒家學說，所主張以仁爲基點的政治哲學，較今日歐美所倡的民主更富有積極的精神。

因爲歐美今日的民主政治，雖然有其嚴整的制度，但它憑藉於功利主義之上，缺乏眞正的仁愛精神做實質，不免流於空虛與形式，與儒家的政治思想是不可同日而語的，在今天祇有實踐國父以互助代替競爭，「人人以服務爲目的」的學說，才能眞正達到「大道之行也，天下爲公」——我國傳統精神的大同理想。

五、中國傳統的經濟思想

中國過去在經濟上的主張，是與中國文化精神相融結的。換言之，儒家所主張的「仁政」思想，乃是藉經濟政策，以求其實現。政治上主張「與民同樂」的平等觀念，在經濟上因而注重治民之產，故曰「五畝之宅，樹之以桑，五十者可以衣帛矣；百畝之田，勿奪其時，八口之家，可以無饑矣。」必先使民有了產，而後可以足衣足食，「衣食足而後知榮辱，若全民匱乏，鮮不鋌而走險」。所以儒家的經濟思想是絕對的反對人民無產，而積極的主張治民之產的；但治民之產，不是毫無限制，而須以均富爲原則，所謂

「財聚則民散」，即是此意，可知它乃是以人性爲出發，一切經濟制度與政策，都是以解決民生爲目的，與 國父解釋「民生」二字的定義，爲「人民的生活、社會的生存、國民的生計、群衆的生命」的經濟理想，乃是前後一貫的。

因之，中國傳統的經濟思想與西方的資本主義經濟有不同，西方的經濟主張放任，自由發展，而無限制，祇求賺錢利用，而無一定的道德標準約束，此與中國主張「正德、利用、厚生」，仁民愛物的思想當然兩樣。

六、中國文化復興

從以上所言，可知儒家學說實代表了中國固有文化的偉大精神，此從四書五經所表現的時代意義可以看得出。 國父更把它整理融貫而發明了三民主義。換一句話說，國父繼承中國文化的優良傳統，而創造了三民主義，三民主義乃是以儒家學說爲其思想淵源而謀中國精神之復興的現代的中國文化。

二千多年以來，儒家學說既已成爲中國文化的大動脈，發揮了無比救亡圖存的精神力量，在今後建國的艱鉅工作中，亦惟有發揚中國固有文化以鞏固三民主義的基礎，實現三民主義，以充實我們復興民族的精神武裝。

黃湘杰筆名刊「國魂」一九四期

回顧與前瞻

——邵陽同鄉會組團返鄉探親紀行

一、是歸程，也是起步

自政府開放大陸探親政策後，台海兩岸已掀起交流訪問的熱潮；但是，在兩岸交流活動中，如何減少個人行程的困難與安全的顧慮；尤其，是在政府已成立「國統會」機構，如何使兩岸交流配合國家政策，納入國家統一工作的主流，應是政府當前制定大陸政策必做的考慮，也是每一個中國人參與兩岸交流不可輕忽的責任與認知。

邵陽留台同鄉基於此一使命的確認，經過多次的協調與籌備，在七十九年九月二十八日毅然組成了返鄉探親團，返鄉做爲期十天的個人探親與團體交流活動。

二、從台北到長沙

二十八日晨，探親團三十六位團員陸續的趕到停在中正紀念堂側門的遊覽車，九點準時開出，馳往中正機場，每一個人都帶著滿心的喜悅，不約而同的唱起了「高山青」的這首曲子，這首曲子輕鬆活潑，既足發抒青年男女的熱情壯志，也最能表達我們愛鄉愛國情懷。

我們搭乘中華航空公司的班機，經過一個多小時抵達了香港，下午繼乘中國民航的班機飛長沙，到達長沙機場已是華燈初上，夜色朦朧。這時，邵陽台灣事務辦公室主任簡俊先生已先我們到了長沙，當過邵陽縣長的徐君虎老縣長也早已等在候機室時，不禁熱淚盈眶，他斷斷續續的，帶著激動的語言來歡迎我們。他說：兩岸開放探親後，第一批見到組團返鄉探親的同鄉，感覺無比的高興，兩岸關係有了改善，國家統一有望，他寄予最大的期望；但他也說：統一工作兩岸要基於平等互惠的願望。今天只有留台同鄉可以回大陸探親，而在大陸的親屬同胞無法到台灣去，這是不應該的；其次，他又說：今天經貿往來已開放，這是經濟互補最重要的一環，但爲什麼要間接的，把錢給外人賺去？徐老縣長今年已八十二歲高齡，他是留俄的，與當前在台灣某資深民代還有過同窗之誼。

三、參觀韶山紀念館

二十九日九時，我們乘邵陽市政府派來的巴士，沿國道往邵陽市前進，經過約二小時，車抵韶山。

這是毛澤東同鄉的故鄉，我們中午就在此午餐，特地趁時做了一次走馬看花式的參觀毛澤東紀念館。

紀念館依山而設，前面有各式販賣紀念品的小店，也許因爲今天是週末假日的緣故，紀念館的前坪、行道，到處散佈著穿著不同服式的青年人群，但似乎都並不盡稱合他們的身材，配合未加修剪的頭髮……我隱約體驗到這些青年人的沉悶。

我們進入紀念館，原以爲參觀的人群會很擁塞，但出乎意外的，每個廳室似乎都顯得很冷清，襯托照片文物陳設的稀落，我不知是否已意味這「一代人物」的沒落？

四、回到古樸的山城

下午六時，車到邵陽市政府所在地邵陽城。

這是一座古城，春秋戰國時期稱白公城，秦漢以後，於此設昭陵郡，宋陞爲寶慶府，民國十七年政府改寶慶府爲邵陽縣，一九五〇年中共成立邵陽市，一九七二年改爲省轄市，下轄九個縣，境域遼闊：東毗衡陽，南靠零陵，西鄰懷化，北接婁底，夙爲湘西南重鎮。

三〇日上午，市府彭茂吾市長親爲我們主持簡報和座談，介紹邵陽當前各方面進步的情形，及了解我們個人和家庭需解決的問題。他告訴我們：邵陽市下轄邵陽，新郡、邵東、隆回、洞口、武寧、綏寧、城步苗族自治縣等九個縣，面積二萬多平方公里，人口六五三萬，由於近年來的改革和進步，彭市長說：邵陽已不再是過去偏僻的山城，它有煥然一新的面貌，擁有食品、輕紡、造紙、化工、機械、汽車製造等大小型工企二一〇〇餘家，今天的邵陽已成爲一座新興的現代工業城市。

下午，接著參觀邵陽城區的工商企業。我們參觀了在地下街的商場、卡拉OK遊樂場所，和邵陽第二紡織機械廠，這個機械廠，現有員工四〇〇〇人，佔地面積六一萬平方米，建築面積三〇萬平方米，廠區佈局嚴謹，設備相當完備。附設有學校、醫院，是一所頗具規模與遠景的工業廠地，使我們很高興能看到這個進步。

五、故鄉的泥土最溫馨

十月一日，我們一早分別搭乘市政府為我們準備的車輛回到每一個人的故居地。我的家，原屬邵陽縣惟一鄉孫家橋。但自一九五九年闢建白馬水庫後，我家的房屋與孫家橋、三鳳村整個市鎮都已拆除，原居住的老百姓和親友多已遷離至外縣市。我現在僅存的幾個弟弟，二弟搬到今日住的潭溪鄉椅子村，三弟、四弟則遠去婁底市做小本生意維生。

我回到二弟家的幾天，很多親友仍從老遠趕來，錫光叔，以及從小一起長大的載仕兄，耀光表兄、耀先侄一直陪著我，朝夕相敘。十月四日恰是中秋節，四弟全家也從婁底市趕回椅子村，闔家團聚渡過快樂的中秋節。一方面使我能重享天倫樂聚的溫馨；一方面也實際體驗大陸的生活情形。目前在大陸：作農的，每人最多可耕作六分田，一年收獲二次，約有七、八百斤穀子；做基層公務或者教員，每月收入約七、八〇至百餘元人民幣，加上當局已開放自行可做些副業貼補，生活已可溫飽，但普遍缺乏購買力，也顯得競爭力的不夠。

在一般人民對台灣和大陸關係的認識中，都深感兩岸四十餘年的分離是我們歷史的傷口。因而，也就更關心國家的統一，從好些親友贈給我的詩篇裡都如此殷切的寄予期望。

老教育家柳心一先生贈我的詩：

榮歸桑梓及中秋，月滿家圓兩美收。
投筆從軍欽壯志，嫻韜諳略砥中流。
官休尚見縈家國，結伴從容作旅遊。
兩岸人心同一體，友於情意共謀求。

載仕兄題的

手足分飛天一方，迄今四十一載強。
料知久別愁成斛，幸得重逢喜欲狂。
鶴髮童顏老益壯，心悅神怡話家鄉。

中華台北親兄弟，骨肉團圓般切望。

戴欽兄題贈

四十餘年悵別離，今朝團聚樂怡怡。
鄉音無改少時調，風度猶在壯舊姿。
大雁還湖親故港，雄鷹斂翅擇高枝。
何當璧合珠聯綴，荷葉蓮花互映輝。

敘倫老寄詩

形離神合上東坡，遙對台澎一放歌。
但願好風吹過峽，未知聞到意如何。

敘倫先生係我的一位長輩，在我六日離邵陽市預備轉衡陽回台之時，親來邵陽賓館送我，並贈其「牧笛」詩集近著，內收「遙吟七絕寄台好友五首，本篇係其中一首，亦具見老一輩的長者對留台子弟親朋惦念情深。

六、地方建設、粗具架構

留家的幾天，我除了和親友聚敘，以及祭掃父母的墓地外，也趁時回到我讀小中學的漣源市，以及婁底市小遊，這都是我過去常去或居住過的地方，我有滿懷的感情與依戀。

這幾個市區現在都有湘黔鐵路貫通，市街多經改建，有煥然一新之感，即使是鄉村農地。如二弟住的椅子村（現爲潭溪鄉公所所在地，並將爲鎮公所的新設地址。）除了有通邵陽、漣源市的公路，學校也從小學、初中，辦到高中，其他如醫院、信合社、糧食站、市場……均初步具備現代社會的架構。

七、歷史悠久、鼓舞民風

五日，我們又回到邵陽市，當天下午黃埔同鄉會等單位爲我們舉行歡迎茶會，許多黃埔的前輩都在會中慷慨致詞，他們多已離開舊時的工作行列，息影家園，但他們愛國的熱誠不減往昔，他們過去對黨國貢獻，當也留在青史。

邵陽歷史悠久，夙受中原文化的薰陶，兩千多年來，哺育著一代又一代的英才如：蔡松坡、尹仲容、蔣廷黻、羅機、羅揚鞭、尹俊，……都曾爲中華民族歷史的發展，作出過不朽的貢獻，今天兩岸的邵陽人也並沒放棄自己的職責，秉持先賢的風範，「傲骨嶙峋」的爲社會、人群瀝膽嘔心。

晚間，由我們探親團與市府等單位聯合舉行聯歡晚會，節目都由團員自行飾演，自然不是高藝術水準的演出，但每一個節目都充滿親情，把每個人的心繫得更緊，也爲我們這次探親團的活動，做了圓滿的結束。

八、兩岸統一已邁開腳步

隨著兩岸開放探親人數的增進，國家統一的熱潮亦日益開展。大陸今天從上至下，每一階層都在爲兩岸交流，用盡力氣，不僅對台胞回大陸探親給予很多便利，在經貿方面願意回大陸投資的，也訂有種種優惠。

至當前我們政府更從政治的拓展，到了法制規範的研擬，如數月來，國統會、陸委會、海峽交流基金會的成立，具見政府對統一行動的積極。

同時，據了解做爲未來統一行動指導的「國家統一綱領」，也在研訂中，這個綱領將來頒佈後，最緊要的是：首先要兩岸的人民認知：大陸與台灣是不可分割的領土，兩岸的中國人都是血脈相通的同胞。從而，分階段的自文化、親情的交流，到經濟、貿易的互補，最後達成政治民主、社會富足的統一大業！

九、愛，永遠是融合的靈魂

兩岸分離了四十多年，無論思想、生活、制度，自然存有許多差距，談統一也不是一廂情願，單方面的努力可以奏功，它需要兩岸的中國人共同參與——坦誠交流，充分合作，懇切協商。

但不論是交流、合作、協商的每一過程，每一環節，愛，卻永遠是融合的動力！同鄉會理事長在致詞「我們的心聲」裡有一段話：「我們認爲世上祇有『愛』才是最聖潔、最純眞、最珍貴、最受人歡迎的，我們期待各位鄉長用『愛』搭起兩岸關係的橋樑，用『愛』化解一切紛爭、誤會、和怨恨，重新用『愛』建立起『我們都是中國人』的大家庭，兄弟姊妹，叔侄姑嫂，『互相友愛』的眞實情誼。」

「現在，我們正處於促進和平統一最好的歷史時機，東西德提供了範本，南北韓邁開了步伐，我們兩岸同胞，心理上應先摒棄互相猜疑的障礙，思想上也要除去對立的隔閡，尤其宣傳上要根絕互相責怪、漫罵的行爲，彼此推心置腹，肝膽相照，唇齒相含，本著誠心、愛心、和耐心，透過『探親、觀光、互訪交流』『同胞愛』更多更好更快的管道，促進互相瞭解、互相關懷、互相幫助，同時更能匯集智慧，結合力量，心手相連，以『台灣經驗』開發『大陸資源』，以大哥情懷照顧小弟心態，早日眞正走上中國統一、和平，和現代之路。共同攜手創造未來更好的明天，這是我們三十多顆『愛鄉愛國』誠摯的心靈，第一次組團返鄉探親共同的心願。」這段話不僅說明了邵陽同鄉會組團返鄉探親的心願；也指出了我們每一個中國人在兩岸統一行動中，所居地位的重要。

我們深信：任何阻隔，擋不住兩岸中國人愛鄉愛國，所凝聚成的共同意願與信心。我們也確信：兩岸政府的領導人也必能捐棄嫌怨，放開胸襟，把中國帶上統一的途程。

我更要呼籲：兩岸中國的青年人，要確認使命的重大。振作、奮起，協助兩岸政府的領導階層，貫徹統一的目標，把中國導向二十一世紀的前端。（作者爲探親團副團長、退役將軍）

黃載興七十九年十一月五日於台北

期勉與信心

培俊偕克明於去年十月十七日赴多倫多，與于藍在多倫多住一段時間。我不僅期望她們過得很愉快，並深望如這本日記開頭所啓示的：「累積生命的點滴，成就永恆」。我在聖誕節寫了幾句話寄過去，說明了我內心的感懷與這個啓示是一致的，更寄望我的兒女能以自己的努力與信心開創自己生命的光輝：

人生有如一場漫長的競跑
要平心靜氣
穩健堅忍
要看準方向
不因挫折分心
休息是爲了走更遠的路

蓄積力量，再創前程
家庭是生命的融結
朋友是旅途的知音
甘苦相扶持
事業共親情
無怨無求
信心永恆引導成功

黃載興　八十六年十二月二十五日

對當前經濟革新的建議

台灣的經濟建設，遵循　國父民生主義思想，無論土地改革、工業建設與社會建設均有極輝煌的成就，舉其大者：

在土地改革方面：如實施三七五減租、耕者有其田政策，消除土地壟斷的現象，對市地則規定地價，照價征稅、照價收買、漲價歸公，促進農業發展與工業成長。

工業建設方面，推行經建計劃，加速生產；拓展貿易，促進經濟升級，自五十三年以後，經濟成長率平均超過百分之十，七十三年尤高達百分之十三，國民生產毛額亦逐年提高，七十三年達五百七十八億四千一百萬美元，增加金額創歷年來最高紀錄。

社會建設方面：如實施九年國民義務教育，公務人員退休制度，勞工保險制度，使人民生活水準日趨提高，個人所得分配狀況亦日趨平均。

三十餘年來，我們所做的努力，已奠定了成功的基礎，但面對當前國內經濟秩序紊亂，投資意願低落；而整個世界科技正急速進展，市場競爭益趨激烈的複雜情勢，在在均促使我們的經濟面臨一種新的轉型階段，不能不速謀因應之道；尤其是近年來，我們內在仍隱藏著若干問題，須要做徹底的檢討。行政院已成立「經濟革新委員會」，廣求各界意見，就現階段國家經濟情勢，作全面的革新檢討，令人振奮，謹依循民生主義思想，與政府一貫經濟政策，略述一己之見於次：

一、推動農工均衡政策，促進農業發展：

政府自民國三十八年起推動土地改革措施。具體的成效包括：㈠佃農已成爲自耕農，生產意願提高；㈡土地改革，使資金流入工業部門，促進工業發展；㈢收入增加，生活水準提高，有助經濟成長。但由於工業的快速發展，整個社會結構蛻變，使主要農產如稻穀、蔗糖生產過剩，而外銷價格低於成本，政府須花費大量的經費，執行貼補政策，加重國庫負擔；而另一方面使農民相對所得減低與工商所得加大了差距，導致青年不願從事農業，漸爲工商業所吸收，形成農村勞力的不足。對農村此一問題的解決，政府已秉持農業、工業均衡發展政策，積極採取各項措施，如：改善農村公共設施，增進農民福利，減輕農民稅負，穩定農民收益，增強外銷競爭能力等，但如何有效改善農產品運銷制度；並選擇較大的農業區，設置農產品加工場，與增設農業專科學校，甚至把國內有名的大學農業學院遷回到農村來設校，從教育與出路改善農村生活前景，使青年人從農村長大，也樂於向農業發展，應是一條基本有效的途徑。

二、民生國防合一，強化總體運用：

台灣土地三萬六千平方公里，境內多山，耕地面積僅百分之廿，多分佈西部濱海地帶，爲全省經濟設施與人口聚集之地，而內陸山區因受中央山脈阻障之影響，人煙稀少，與西部地區形成極不均衡之強烈對比，故對台灣經濟建設之發展與國防之強化，應以加強交通建設，縮短山地與沿海地區差距最爲重要。我國已完成的十項重要建設及即將推動的十四項建設，均以交通建設爲重點。足見當局之遠見與決心，但過去十項建設對交通發展的設計，多著眼人口、都市集中產生擁塞現況，加以疏導解決爲主，對如何運用交通建設，引導經濟開發，增強國防，仍爲我們今後應該改進的問題。吾人以爲若能將高速公路沿中央山脈開拓，最少可產生以下功效：㈠引導人口、工業向中央山區發展，減少濱海地區瀕臨飽和之人口壓力，並避免工業設施，經濟資源受戰爭影響可能遭致癱瘓之危機。㈡使山地礦藏、林產、土地做有計劃之開發，促進各地區經濟普遍繁榮。㈢充分利用中央山脈，將重要國防經濟設施深藏地下，以利空防。㈣便利運輸、通訊，增大防禦作戰縱深，有利總體作戰之運用。

我國自十項重要建設——中山高速公路通暢後，對我經濟發展已獲致極多成效；但若就以上諸點，從國防與經濟配合上加以檢討，值得作今後經濟開發、交通建設設計之參考。

三、融結文化建設，提高生活品質：

民生主義思想以理性爲本源，一方面主張發展生產，充分解決食衣住行的物質需要，一方面重視理性的培養、精神活動的充實，故　國父在民族主義裡特別強調固有道德、知識的重要。

目前經濟發展迅速，但由於文化建設未臻配合，導致物質建設與精神建設失調的現象。現時社會生活的糜爛，影響民心士氣，敗壞社會風氣，已至不可忽視的地步；少數不法人士甚且鋌而走險，蔑視道德信譽，破壞國家法紀，致經濟犯罪事件，時有所聞，嚴重妨害我經濟建設的秩序，尤其違反「民生」與「文化」的精神，政府應該從紀律上加強經濟秩序的整頓，從文化教育上端正思想觀念上的偏差，使人人加強憂患意識，建立現代化工商生活的新觀念。

四、培養科技人才、邁向康莊大道：

人才的培養與有效的運用，是我國工業升級經濟發展成敗的關鍵，當前政府經濟發展正著重技術性密集產業的開發，而此一目標的貫徹，最需要的是科技專門人才的培養，有賴從教育制度的轉變因應來完成。

我們在台灣的教育發展有很多進步與成功的地方，但從制度上來檢討，仍存在不少偏差，比如過度偏重升學、考試，使青年人容易養成側重如何通過考試，爲讀書而讀書的不當心理，而無法適應當前培養專業人才，發展工業的需要；甚至已獲致專業知識技術的人才，亦往往無心投入農、工實際工作，仍汲汲於如何通過考試，達成出國的願望。……值得政府有關部門的注意。

解決這個問題，應從教育制度的改進與人才的有效運用同時入手，經濟學者陳定國先生曾著文建議：建立「多通道進修制度」，非常重要，可以積極鼓勵青年重實學，做實事，去為工作而讀書，為服務而讀書，並能從工作經驗中進修，提升知識科技水準，正是我們今後遵循民生主義思想，結合文化、國防，革新經濟建設的一條康莊大道。

黃載興　七十六年八月十一日　於軍友社

談談加國的建設

加拿大建國於一八六七年，到今天已有一百二十八年的歷史，從時間來計算，一百二十八年並不是一個很長的時間，但從這個國家開國以來所樹立的規模，以及政治、經濟、社會、文化各方面的進步，我們不能不欽佩這個國家歷任領導人士與全體國民所做的努力。

以政治來說，它是西方國家中推行法治最富成效的先進國家之一，我們到加國一年來，看過魁北克和安大略二個省省長和省議員的選舉，不論是候選人或人民均能循著法律的規定來競選和投票，始終保持井然有序的秩序，社會安和，沒有半點脫軌的亂象，與台灣那種一臨到選舉滿街是標語，到處是叫罵，甚至暴力事件層出不窮，社會由選舉所帶來是分裂，傾軋的暴戾之氣，那兒可談得到民主法治的常軌。

再說經濟：加國的工業已衰退了近五年，但它的規模是立了起來的，它的鋼鐵、汽車、造船、紙漿、木材等業，都在世界上佔有很重要的地位，使它成七大工業國家之一，這個進步是值得高興的。我們看它交通建設的成就就可知非偶然。在社會建設方面：最有成效的應該是社區的規劃與建設，其次是社會福利與救濟事業及環境的整建與管理，加國最近二年經聯合國評選爲最適合人民居住的國家的第一名，應是社會建設整體成就的最好證明。

在民族的融和和文化建設方面說：加國是一個多民族的社會，人口不到三千萬，每年移民進入加國約廿餘萬人，原住民印地安人和愛斯摩人爲多只佔一・二％，移民在先前以英系約佔四十％，法系三十％爲主流，可是近幾年來，從亞洲地區如香港、中國大陸、台灣地區的移民已漸增加，超過英、法系的移民數量。

加國社會民族組成儘管如此複雜，但整個社會能保持安和樂利，依我的觀察，一是得力於社會建設的完美，使每一個新移民受到環境的陶冶而歸於淳厚，其次是移民教育，使他們在語言文化逐漸融和。

我們談加國的建設，自不能不談到華人在這裡所做的貢獻，八十年代初，香港、台灣及大陸掀起了移民熱潮，大批移民帶著資金、知識、技能投向了加拿大，以多倫多一地而論，從當年僅數十個中國人，發展到目下四十萬人口，在多次重大歷史事件中，諸如太平洋鐵路的施工，控制「人頭稅」的徵收，具見華人在這塊土地上所做的努力與貢獻！

黃載興日記　八十四年六月四日

憶楊銳老師

很久沒見到楊銳老師了——楊老師是我最欽敬的師長之一，給我的回憶與感懷是深邃的！

我認識楊老師是在政工幹部學校，他任教育長，我在校長室擔任祕書工作的那一段時間裡。

楊教育長是甘肅人，學養深厚，秉性剛毅，處事公正廉明，崇法務實，給予人的是一個永難忘懷的記憶！

記得，有一次他夫人經辦公室調用他的公車，他也會毫不容情地跳起腳來指責：公車私用，這種不給人情面的風格，有時常會給人非議，但他從不計較，始終是那麼：正顏厲色，力疾從公！

多少年前，我在澎湖任職，忽接到他的一封來信，原是他文化大學讀新聞的女孩，精神受壓抑，無法在文大讀下去，要我爲他在報社安置一份工作，並且爲了表示他是自己的能力勝任這份工作，並能得到些待遇，楊老師在信裡一再的叮囑我：給女孩的待遇，由他按月提供，並要我去訪問時，不提到是受他父親的囑託——一個做父親對兒女的苦心，躍然紙上，他那種律己嚴正，待人仁厚的風範，無時不湧現在我的腦海裡！

我沒有經常去看老師，這次回到台北，在一個假期裡，我尋到了在內湖大湖山莊的楊寓。師母引我進了客廳，並告訴我：老師從去年中風臥床，已不能行動！可是老師聽到我的聲音，仍勉力的進到客廳來和我談病情，以及其他的種種，並一再要我留意身體，多運動，「年輕時候不注意運動，留給老年的是一個痛楚的歲月」！

老師今年已八十歲了，我安慰他加意療養，並默默的祝福，能早日回復到健康來！

回家後，我把老師的講話深深地記住，並告訴我的家人：運動，是如何的重要呵！

重建漣河學校

家鄉教育落後，在抗戰（抗日）期中僅有漣河小學爲造育地方人才的唯一搖籃，惟爾後又因修建白馬水庫，學校被拆除，迄未修復，致使及齡學童無法接受正常教育，對後嗣作育，地方發展，影響頗深，因而在我三年前返鄉時乃有黃氏族尊黃國鈞、禮安兄等向我建言，希共同發起集資重修黃氏宗祠，藉作復校之地，此一倡議，我自有同感，惟限於財力，難撐艱鉅，延遲至今，倏已三載。

今再接黃禮安等八人正式發起書，詞殷意切，我更不忍推辭忘懷，特錄發起書要義，以明先祖既已爲地方盡力在前，我輩實義不容辭，當如何盡力設法籌措，俾能承繼先祖遺志，完成此一修建工程。

摘錄發起書要點：

遠在清道光年間，我漣河先輩遠見卓識，慧眼洞明，創立「漣河書院」，後又在寶慶修建「黃氏試館」，成立族學會，廣大族衆踴躍捐募義田一七八石，元錢二五〇〇串，使書院擁有雄厚的經濟基礎，配套設施齊全，實爲後輩脫穎之搖籃。

「戊戌變法」後，「書院」改爲學堂，新舊併舉，秀才黃樸全主持校政，又一批熱血志士如迪清、載久、保南等從學堂進入黃埔軍校，成爲北伐功臣，煥榮、繩武、載興等官拜將官。

抗日期間，學堂更名爲「漣河學校」。由秀梁、保民、禮清、繩謨等族尊先後主持校政，六藝並重，全面發展，聲振百里，名噪四方。

一九五八年，修建白馬水庫，影響漣河學校，百年學府毀於一旦，莘莘學子，轉徙流離……內外游子，每回家鄉，無不駐足騁懷，留連忘返……如載興將軍、東來先生、文英法師等，雖身在寶島，仍心繫故鄉，多次捐贈鉅資，支援家鄉建設。

望黃氏族衆，漣河人氏決心發揚傳統，重建校園，我們竭誠倡導，深望我黃氏子孫慷慨解囊，爲千秋大業奉獻愛心。

參感懷篇

父親畢生盡瘁桑梓，願他的精神永留人間

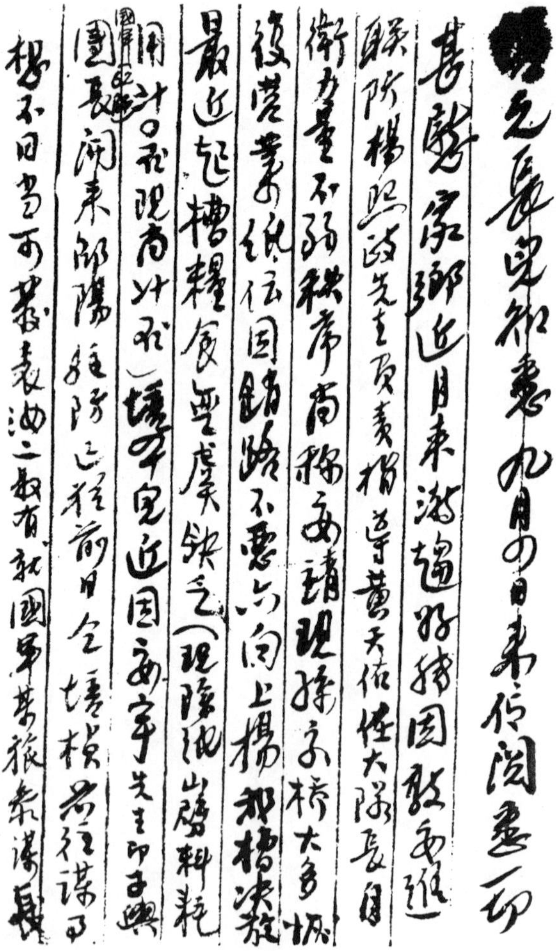

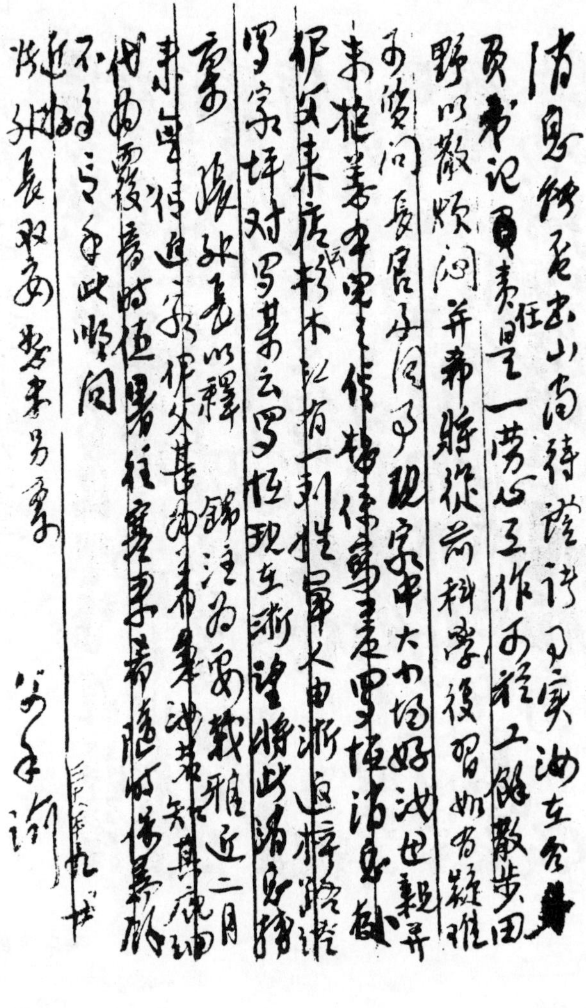

叔父促我至上海升學，在大局紊亂中我來到台灣

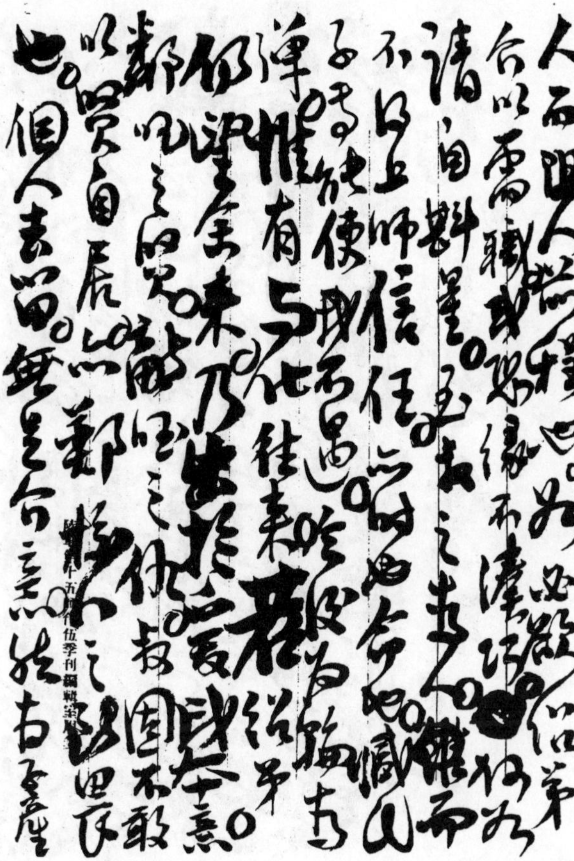

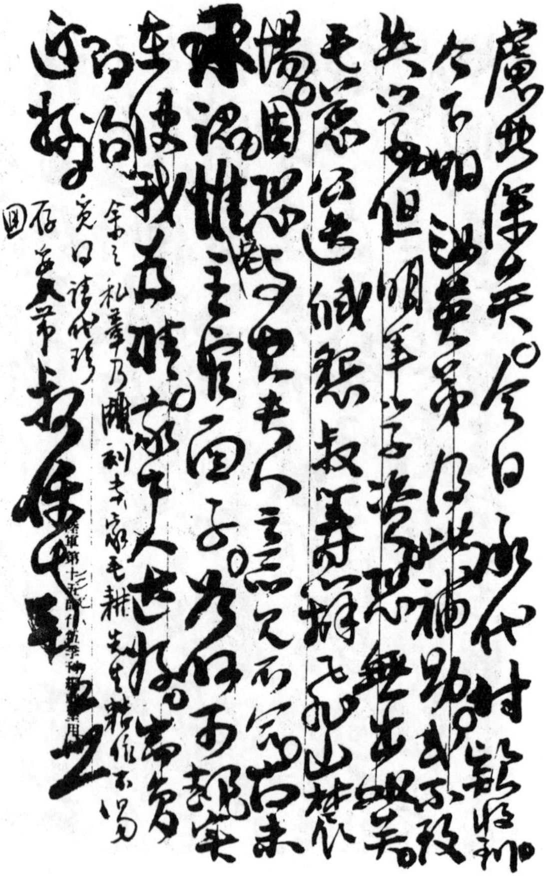

岳父一生致力教育事業，著有道德經批解等書

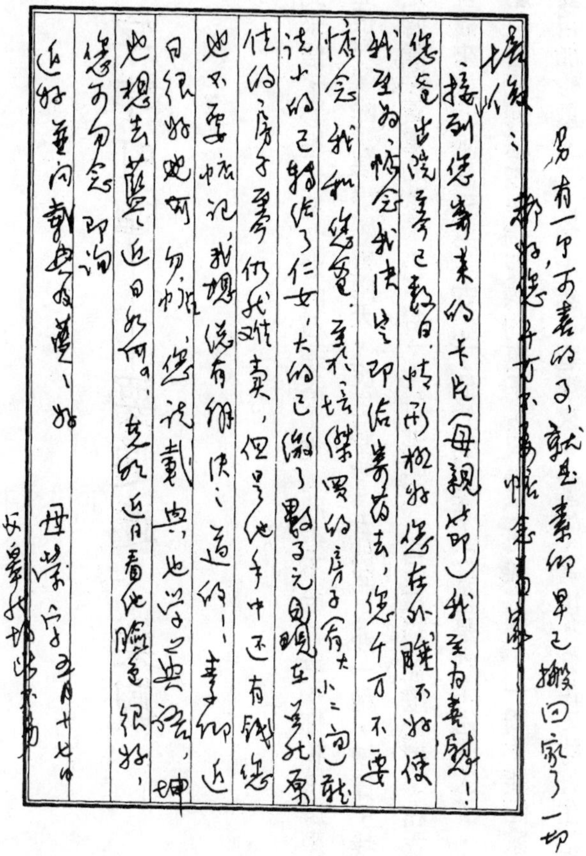

振綱：
接到您寄來的卡片（母親節）我甚為喜慰！
您爸出院至今已數日，情形極好，您在外雖不好使
我甚為惦念，我決定印給寄去，您千萬不要
惦念。我和您爸，甚不喜傑買的房子（有大小二間）就
說小的已轉給了仁女，大的已繳了數千元，現在等我來
住的房子要修，我們難賣，但是他手中不還有錢，您
也不要惦記，我想總有辦法這些的！素卿近
日很好，她一切均好，您說戴與也學之與說，妯
也想去薇薇近日如何？是近日看她臉色很好，
您可勿念。即詢
近好 並問戴與及薇薇好
母 [illegible] 字 五月廿七日
女婿均此不另

另有一件可喜的事，就是素卿早已搬回家了，一切都好，您千萬不要惦念為要！

姨媽字字叮嚀——要通達、樂觀

培元甥：

收到來信，心裡一塊久懸的石頭落了地，欣慰不已。去年你和培俊來京團聚後這一年我身體很好，除了偶爾感冒兩天，沒生過病。去秋回長沙一趟，總算了我多年心頭願。

你是個情深義重的孩子，辛勞一生告老居家，自己仍然那麼儉樸，布衣粗食，可是，花那麼多錢來扶助兩個兄弟，安頓了他們的生活；你也是六十過的人了，年歲不饒人，不能太虧待自己。培俊是個賢德的妻子，只是上班離家遠，一周才能回家一次，因此，你一定要自加珍重。工作幾十年，退下來，一定不習慣，你得安排好生活，不能整天悶在家裡，要和老朋友、親戚保持聯繫，找尋新的生活樂趣，否則會悶出病來。

兒女的事，依我看要通達一些，年輕一代有他們的想法和追求，不能要求他們和長輩一樣。做父母的盡到養育責任也就罷了，他們的人生路終歸由他們自己走。

總之，望你注意保重身體。不時來封信，哪怕三言兩語報個平安，免我記掛。

祝全家康樂！

替我問禮清侄好！

姨媽　一九九二六月十五日

禮安兄悉力為地方解決困難問題，重建祠校

培元兄：

祠校慶典承蒙兄長不遠千里赴會，實乃族人之幸。更是對小弟的莫大鼓舞與支持，深表感謝。

祠校落成爲我族之大事，因而全體族衆乃至校友莫不歡欣鼓舞。慶幸之餘，怎能忘記兄長、在台諸公和內地慷慨捐募，辛勤勞動的族賢和校友呢？特別是兄長這塊巍巍豐碑，早已豎在人們心中，不是嗎？當兄長下車步入會場時，人們無不翹首引頸爭睹尊顏，當兄長大會講話時，會場爆發出雷鳴般的掌聲，這是族衆發自肺腑的感謝之聲，敬佩之聲。

大娘遷厝盛況空前，沿途供祭，禮炮此起彼落，如此場面超過當年毛秉文軍長母親的葬禮。特別是廟邊、漣河、孫家橋三村村民委員會的幹部以集體之祭奠鳴炮，這是有

史以來第一次，這是群衆對大爺大娘生前盛德的肯定，也是群衆對兄長三兄弟盛德的回報。

敬祝

貴體安康 全家歡樂。

弟 禮安 四月十七日

漣河祠校落成紀實

相傳曾經有一巨龍，橫空出世，氣貫長虹，追星逐珠，朝發雪峰，夕到漣濱，一掃千軍，在此安營結寨，茲後靈蛇就與蛤蟆（寶珠）長相廝守，在此喚雨呼風，施展絕技，孕育燦爛文明。無獨有偶，八百年前，宋代有一大智大勇神童，獨闖天下，後又在此處生根發芽，卜鳳成家，哺育著黃氏子孫。今朝，他的苗裔，又以其特有的魄力，繼往開來，在這里擇原址，襲舊制，重建祠校。挺拔雄偉的建築，寬敞潔白的大廳，雕琢精巧的神龕，熠熠發光的匾額，魅力無窮，威風不減當年。特別是我黃氏遠祖，宋代名人黃庭堅拓摩手跡《無雙堂》牌頭匾額，金光四射，熠熠生輝，令人無限景仰。曾經歪倒一時的雄獅，今日又復歸原位，雄踞兩廂，精神抖擻。

「清明時節雨紛紛」。時值公元二〇〇〇年四月二日，細雨朦朧，春寒料峭，但在漣河，卻是春意融融，陽花早放，霖澍普降，山歡水笑，喜迎八方歸來的黃氏子孫參加漣河祠校落成慶典。

看，邵東馬岭支親房的車隊，滿載著《敦倫睦族》的顆顆紅心，興高彩烈，浩浩蕩蕩奔來了。婁底萬寶支房親的大小車輛，簇擁著「祖澤長流」匾額開來了。九時許，載興將軍特地從台灣省回來了，緊接著，婁底、邵陽、漣源、新邵、新化、冷江、寧鄉……各地的族衆都相繼趕到。在衆多的人群中我們還見到了稚氣十足的娃娃兵，綿綿世澤，後繼有人之感令人油然而生。此時銃炮掀天，鼓樂齊鳴，歡呼四起，漣河沸騰了，大地沸騰了，人們的熱血更是沸騰了。

十時許，祭典開始，行九獻大禮，由禮安主祭，宗近、會文與祭，三請大賓載興先生點主安神，整個祭典在總司儀向華的指揮下，有條不紊地進行。禮畢，慶典開始，由勝生出任大會執行主席。首先由禮安致詞，他代表祠校建設委員會向到會代表並通過他們向全體族衆，校友、社會賢達表示誠摯的問候和熱烈的祝賀。向積極參與此次活動，慷慨捐募的族賢、校友表示最衷心的感謝和親切的慰問。向爲成全此次大業作出重大貢獻的載興先生表示崇高的敬意和衷心的感謝。向爲譜事、祖墓和此次祠校建設不辭辛勞，嘔心瀝血，積極工作的邵陽市執中先生、青山沖菊仲先生表示由衷的感謝，爲他們未能參加這次慶典就駕鶴西歸表示深深的遺憾，並致以沉痛的悼念。

接著載興將軍作了重要發言：他首先向誠邀他參加慶典的大會組織者謹致謝意，向大會表示祝賀。他一再強調：「白手起家，廢墟重建，實屬不易，這完全是心血的結晶，是毅力的象徵。在此，特向爲重建工作辛勤操勞的賢達和全力配合支持的漣河村幹部群衆表示感謝和敬意。」他還說：「我多年離開故土，對地方和族事未能盡職盡責，深感慚愧。此次修建祠校雖然節食縮衣，從退休金中支付了部分，這僅僅是略表微忱而已，不足掛齒。」最後他說：「祠校建設這是承前啓後，繼往開來的壯舉，利在當代，功在千秋。但是建祠也好，建校也好，歸根結底要落實到建校上來，只有這樣，黃氏子孫才能興旺發達，我們的家鄉才能繁榮昌盛。」他的講話博得全場經久不息的掌聲。

隨後會文、合生、明光、載富等相繼發言，共同表達欣慰感激之情。明光還一再強調：基建僅僅告一段落，還有很多事情尚未完成。如學校尚未裝修，主堂前坪尚未凍結，資金還有缺口。牌頭更是遠遠沒有修建。凡此種種，還需大家繼續努力，全面完成大業。

下午二點，會議結束。大家興高彩烈，舉杯共慶，彼此祝願。場面熱鬧、氣氛祥和。同宗義、兄弟情，情眞義切。

今日，黃氏子孫喜聚漣濱，明天，黃家健兒馳騁四方。喇叭聲聲凱歌，車輪滾滾奔前程。「窗探笑臉眼朦矓，心房又怦怦，人倫大雅血緣中。但願陽花紅，歲歲有王春。」

敘倫前輩的厚愛，報國盡心

載興族賢大鑒：

久未聆教，茅塞難開，遛維府上吉祥，萬事順意。

頃接北京「華夏英杰」編委函促我速將您的一生偉跡材料寄去，以便及時收入第九卷，他們不知道您的材料尚未寄來我手，所以我今天特地上函給您。一、未知您的稿子整理好了沒有？二、如已整好儘速寄來爲感。三、如來不及整理，是否可寫個片段？四、能否將我寫在邵陽文史上那篇稿子寄去？（此稿我已收入我的「山石詩文集」裡，以充篇幅，想先生定會同意，一笑。）五、倘若有稿子寄來，請在接到此信時，即刻投郵，以免延誤時機，如果同意將邵陽文史上那篇稿子寄去，也請即速來信告我，並請附照片一張（全家福更好），盼望盼望！

我如此迫切要爲您寫篇稿子，收編《華藝》上，是因爲先生功德卓著，而且在後繼有賢如不留個史學紀念，不僅對我黃氏是個損失，而且對中華民族也是一大損失，望先生萬勿推遲。至要！

歲月不饒人，這是個自然規律，您看我寫的字怎麼樣呢？我明年八十歲了，還能活多久時間，只有天曉得，一笑。

望速回音，謹此　敬祝

雙安　並

府上大小均安

敍倫　二〇〇〇年十二月十日

學長給予我國外生活的關懷

賀學長（雨長）

恕民兄：

八月八日從南海路晤別後，天氣轉晴，乃能如期搭乘華航轉加航抵達多倫多，已是十二日的清晨。

此次遷多，因爲內人小叔王熙儀與堂兄王新民（本校三期）已先後移民來加，我們得到不少指導，方便了許多，尤其是小女能如願的來加就讀，這個前景，更深深地鼓舞了她。（大孩子本期讀師大，爾後視情況再來加深造）。

衹是，新到一處環境，在短期間內要理出頭緒，並不容易——直到最近孩子獲准入此間高中十三級預修學分，內人亦參加外語班進修英語，生活始慢慢地安定下來。

加拿大的教育，從幼稚園到高中，都是免費的，是一種普及的義務教育，高等教育的大專校卻並不多，在多倫多的幾所大學以多大的名望最高，一般高中畢業的學生，多以選擇多大為第一志願，尤以年來移民不斷增多，進多大不但要在高中修的課程達到A+的成績，移民的學生更加上一項托福考試的限制，進多大要滿六二〇分以上，其他學校也隨著提高。

于藍資質很夠，英文也不差，祇是功課繁重，高中預修課程要和本地的學生競賽，恐非輕易，托福考去年高中畢業後在台灣參加過一次，成績僅五三〇分，到加拿大來雖會有點進步，但六二〇以上的高分，不下功夫仍然是件難事，我也用不上力，但靠她自己。

致住的選擇：一般都以溫哥華，多倫多為多，我選了後者，考量的是：

一、健保醫療和社會福利，在加拿大是全民的，住屋、食品等物價多倫多低於溫哥華，也低於台北。

二、多倫多是加拿大的工商業中心，經濟繁榮，社會安定，據說：颱風、地震也無此紀錄。

三、多倫多環境有大自然的美，更經過精工的塑造，建築物兼具傳統和現代化的色彩，雄偉博大，朝氣蓬勃；馬路寬廣整潔，兩旁種植各種花木，爭妍鬥艷，美不勝收；四郊除南臨安大略湖外，都是一望無垠的原野，綠茵萬頃，綿延迤邐，散佈在其間的是各式的別墅、圖書館、運動場所、購物中心……幽美寧靜，形成無數市民棲息的社區。此亦或是聯合國連年評選爲全世界最適宜居住國家第一名的眞實的所在。

四、進入冬天後，據說有段嚴寒季節，從我來說，一時會有不能適應之處，但氣候的惡劣，正是鍛鍊體魄，培養意志的地方，想到此一環境對下一代所具有的教育意義，目前的、自己個人的，也就不那麼重要了。

我們現住在市中心區的 UNIVEIESITVIAVE，三十三號，孩子上學便捷，同時，交通、環境皆優，是個「城市公園化」的地段，歡迎你（妳）們和，週末派的學長來多倫多渡週末。

弟載興敬上　八十八年十月十日

鎭湘表哥九〇華誕福壽康寧

培元弟如晤

光陰如駒，轉眼舊曆年又過去十三天了，我一直蟄居在紅花坡。自去年十二月份起冠心病基本上緩解了，現每天仍服藥一次，爲防止再發。

光遠現在長沙，可能受聘擔任某省級機關開辦的投資公司的副總經理。他兩個女兒都在深圳就業，他妻子現在長沙南區開辦了一所幼兒園，根據她的能力和她卅年的教學經驗，有希望可以獲得成功。

我退休後生活還過得很舒適，只求上帝保佑我少發病，那我日子就過得更快意了。

祝

全家幸福清吉

表哥鎭湘　九十四年二月廿二日

醫農那裡有許多珍貴藏書，任克明挑選

培元培俊表兄嫂如晤：

六月十日在京城與培元、于藍、克明匆匆一聚倏已兩月。回想起來，恍同昨日！最難忘與于藍、克明雖是第一次見面，卻情意投適，毫無陌生隔膜之感。血濃於水！千眞萬確。最遺憾的是時間太短，你們來也匆匆，去也匆匆，「來如春夢不多時」，所幸「去似朝云（有）覓處」，台陸之間那道人為的屏障早晚必將拆除！盼望你們一定再來！不過，再也不能跟「旅行團」來，再也不能這麼閃電式的「聚散」。于藍遠在異國，而且即將走上工作崗位，自然要受限制，你們可在假期帶克明來。家裡的條件你們已經看到了，吃住都非常方便，你們再來時一定要住在家裡，多住些日子，醫農那裡有許多珍貴的藏書，可以任克明挑選，相信一定有他感興趣的。

這兩個月我們一切平安如常，凱揚一家三口下周將趁凱揚為公司聯繫商務之便回國探親，可以羈留兩周左右。他們已經入籍美國，平平最近也從醫院調入凱揚供職的那家公司，因而條件更有改善，他們夫婦倆年收入不少。事業與生活這片新天地全是他們奮鬥拚搏得來的，對做父母的確是一大安慰！

醫農仍然身負重任，夜日相繼地爲自己的事業拚搏。別人看他，都說「太辛苦」，實際上他活得既充實，又快樂，精力旺盛過人。最近他已拿到辦好的「私人護照」，一定會爭取機會來台北看望你們。

我們都格外想念克明，長得好帥的一個小伙子！只是太沉默寡言。他想看哪些方面的書，告訴我們，醫農姑姑會爲他選寄。

培元這次回來比上一次身體情況顯然好得多，令人寬慰。到了這個年齡，一定要講養生之道，不僅從飲食上注意，而且要堅持適當運動。好多年沒見培俊了，你這位表嫂與我們一見如故，衷心盼望在京城再相聚。

祝全家康樂，萬事順意！

明明禮智醫農　一九九八年十一月八日

石二親自駕車陪我尋母親的墓地，永感難忘

伯父、伯母：

這次您們榮歸故里，給家人帶來了許多歡樂和榮幸，同時也給我們很多教育和啓迪，遺憾的是在婁底期間我們不但在生活上沒有照顧好，也沒有抽出更多的時間陪同您們好好看看衆多的山山水水。但是，盡管您們在婁底的時間較短，言行已經給我們留下了難忘的印象。因此，您們離開婁底後，我們全家仍然經常談論您們在家鄉作客的趣事，討論您們該到什麼地方了，是否回台北了，時刻在惦念著您們。

我們深知您們離鄉背井，遠在他鄉艱苦奮鬥是極其不易的。從內心想盡量對您們照顧好一些，幫助你們在婁底做好每一件事。可是，您們卻非常客氣，還給我們帶來那麼好的禮物，爲此我們實感到不好意思，有些內疚。

克明這次回家鄉收益一定會非比一般，因爲他不但看到了家鄉的江南美景，風土人

情，歷史文化，還得到了家鄉親友的愛戴。如果克明還需要我們搭搭橋的話，我誓願爲好月下老，盡力給予幫助。

歲歲重陽，今又重陽，重陽節登高望遠，在大陸是個敬重老人的日子，我們衷心祝願您們保重貴體，健康長壽，全家幸福，有時間的話多回家看看。

愚侄　婿：石二　女：曉玲　二〇〇〇年八月十四日

光遠——一個事業成功的開創者

培元表叔：

您好！

好久沒和您通訊，我們全家都十分掛念。父親今年八十四歲了，最近檢查，體內主要器官都很正常，尤以腦記憶清晰，語言表達準確，提起往事，數說得清清楚楚，只是眼睛患的白內障越來越厲害了，早一個月起因視力模糊，已不再打麻將了，最近月餘，長沙氣候冷熱變化，父親的慢性支氣管炎發了，吃了藥後近幾天好些，父親吃飯葷素都行，每餐吃一碗飯就夠了，他不愛吃水果，我就要他每天吃一枝古漢養生精口服液，美國深海魚油，維他命和老年鈣片等一些保健品，這些東西他服後都有些效果，現在他行走自如，睡眠也很好，對這點我們兄弟很感欣慰。

我在長沙河西購買了一套一百三十六平方公尺的一樓住房，周邊有山有水，綠化得很好，現在裝修，估計九月初可以入住，屆時我會把父親接過去一起居住。

我從長沙大學「下海」，自己辦了個民營的「湖南防霉保鮮有限公司」專做煙草行業的煙葉防霉業務，由於報了專利，在大陸是獨家所有，所以業務越來越好，對這個企業，我們全家都抱很大希望，三年來我都全力以赴，組織生產，開拓業務，爭取更大的社會和經濟效益。

耑此並致您和表嬸及全家

身體健康，萬事如意！

表侄光遠

二〇〇〇年六月十五日敬上

琴姪：從艱難中排除困境，開創了光明前途

琴姪：幾年來，我似乎患了健忘症，往往一件重大的事看過就忘記了。你們的喜事，可能就是這樣沒有來參加；甚至過後看到妳的孩子一天天的長大起來，我仍然沒想起你們「結婚喜宴」的這回事。

不過，我雖然沒來參加祝賀，你們的結合卻是永遠的！是為黃家成功的完成了一件大喜事，是不會改變的，我深為你們高興；並希望有你們的結合，有你們的成功，為黃家更增添了永恆的光輝。

我最近正在為自己的過去寫小傳，把積存的資料都搬了出來，妳（你）們九十一年一月一日的來信是其中的一件，很抱歉，這也許是因一時疏忽的結果，但望在一個家庭裡出身的孩子應不會去計較這些往事嗎？

過些時，我會把這篇小傳寄來，望我們一道來擔當重樹「養元堂」光輝的重任，也

做為我們的賀禮。近年來，你爸爲家鄉做了許多有意義建設方面的大事，也望爲我代致欽賀之意。

伯父母　民九十五年二月

克明、于藍

我的體認：

行者常至
為者常成
健者常樂
學者常明

克明兒：

我和你媽從三月下旬來加，又已半載，也許，你已廿幾歲，已達成年，到了可以自立，自己管理自己的時候，認爲父母的這番心意是沒有必要的，但天下父母心，把你們生了下來，雖然離開了母體，但人決不同於生物。父母和子女，永遠有愛在繫著，有感情在繫著，父母對兒女的關愛，乃是發於天性，是永遠不能改變的；尤其，當你們出生時，正是家庭環境最苦的時期，而我又身負軍職，大部時間羈留在金馬、澎湖等外島，無法顧慮家庭，二個孩子都是你媽一手撫育成長的，她付出了多少心血，多少感情，誰也沒法叫她能把子女的思念擱下來，我經常看到她的滿懷思念，有時她像神經質似的念起「克明」來，有時，半晚起來，拿起筆傾訴，寫信給你，我看到她心情的不安，我看到她對你的思念，我不知應如何來安慰她，說服她。

她關心的是你的讀書、是你的生活、身體……也只有你的體認，你的努力；用你的信息、言語來告訴她，用你的行爲、努力來印證它，能使你媽得到安慰、放心。然而在我的感覺你似並未完全了解媽的一番心意，和我們的苦心。

應知：任何一個有抱負、有決心去開創自己志趣，去完成自己事業的青年人，沒有眞正的學識是決難成功的，尤其，在今天這個知識爆炸的時代，不僅要有高學歷，而且要有眞學識，才能超過別人，贏得成功，就說你想從事電影執導的事業嗎？多少有志之士在此中打轉、鑽營，但又有幾人能闖出名氣，達到成功，以我的了解，在台灣比較稱得上是有點名望的，老一輩的，如李行、白景瑞，他們出身師大，也眞正有他們的學識與努力做基礎。年輕一點的如楊德昌，他畢業清華大學，李安出身藝專，二人並都有到美國深造的資歷與學業。

電影是一門綜合知識的藝術，不僅要具天才，有高度藝術的修養，而且，語文、歷史、天文、地理、科學技術，乃至政治、哲學……等各種學問，都是不可少的知識，何況，時代在變，今天人們對電影的嗜好，已多少爲電視等所取代，要打算在這行闖出路，除了學歷、知識外，最好自己還有其他專業的準備……以使進可開創，退可守成，今天你在師大讀的科技教育工程，能學好這一行，既能在科技教育圖發展，也有益於你的志趣的實踐，值得你專心一致，集中精力時間來完成。

媽爸寫　八十四年十月五日

藍兒：

很久沒給你寫信，但從妳媽回來，告訴我的點點滴滴，無論是讀書、生活與朋友交往，對媽的孝順——都令我感覺高興。我深知藍兒一切都在進步中。

爸年齡日增，一些老人慢性病如血壓高、便祕等雖不可免，但醫學進步，這些小毛病，也算不了什麼，服藥就已正常，日前突然有不能動彈情況，有人也確說過要重視，但這種病在八十一年七月一日，八十六年二月十五日已發生過二次（可查日記），所以我八十八年三月十二日再發生這種病到榮總門診，我也很重視，醫生卻告訴我：過去已發生二次，服藥後已無事，就可放心了。我領藥回來照老樣服用，也就安然無事，一切正常，望勿以爲念。

妳在多倫多一切均好我也放心，但以行將畢業，面對未來，是繼續深造？還是先工作一段時間？再是妳的年齡已可考慮自己的婚姻，但應考慮些甚麼？凡此確有賴你自己的思慮、決定，但爲父母的能不爲所念嗎？

這兩件事，我曾寫過兩封較長一點的信，把我的想法和看法都提過一些意見，本來來日的工作、事業、深造與婚姻，都深賴妳自己的作主、決定，但爸本於經驗與責任，不能不就所知提供意見，爲妳參考，妳不會不去理會，作些觀察嗎？

仍望把我前曾寫的信，再反復的作些思考，如果我要再總合的說，不外以下幾個要點：

讀書、深造：原則是應該趁年紀輕多讀幾年書，但兼顧身體狀況，能否一股作氣？自也得思考，總望：讀書中要多注意身體的鍛鍊，生活的調劑，使身體時時有支持讀書和工作的能力。

工作、事業：我在早些時寫的信，曾談到工作要配合環境，事業要重視遠程，妳所學的統計企管，在當前國際需要應屬熱門，尤以明年中國和台灣都會加入世界貿易組織，中國、大陸、台灣、加拿大、美國的經貿關係，將來必益見密切，在此等地區從事經貿工作，或創業經營，可說是恰爲其時，應均有前景，所以妳畢業後不管是爲人暫時工作一段時間，或自創合資經營，均可抓住時機，及早佈局，和同學、朋友聯繫研究，由點而線，逐步展開。

婚姻與家庭：家庭是生命的融結，力量的源泉，一個人的成長、發展，均從家庭中來培養孕育，有了美滿的家庭，才有美滿的人生，亦才有美滿的事業。而家庭的組成來自婚姻的結合，所以對婚姻不應有戒懼，但要持謹愼，除特須注重在思想、品德、個性、氣度、生活修養、才識能力的完全了解，更應重視彼此間的眞誠、信賴，而此種種均需從平日交往中了解、體驗，不可稍有疏忽，可以說：婚前的了解、愼重，是婚姻美滿、幸福的前提與先決，如一切都有了足夠的認識與信心，自應及時作出自我的決定，完成婚姻大事，父母衹是從旁提供意見，祝福你們一切美滿，創造光明前途。

爸媽寫於台北　一九九九年四月十日

國立臺灣師範大學

學士學位證書　(90)學字第 241636 號

學生　黃克明　生於中華民國陸拾壹年　壹月貳拾肆日在本校科技學院　工業科技教育學系修業期滿成績及格准予畢業依學位授予法之規定授予教育學學士學位此證

校長　簡茂發

院長　李基常

中華民國　年　六　月　日

資訊軟體人才職業訓練網路工程師班 黃克明 成績單（附錄）

No.	課程名稱	時數	成績
一	電腦概論及基本維護	27小時	80分
二	電腦網路原理	45小時	80分
三	網際網路運用	84小時	80分
四	架設網路	36小時	80分
五	Windows2000 系統管理	69小時	80分
六	網路安全	30小時	76分
七	網路管理	30小時	76分
八	Windows2000 網站建置與管理	54小時	80分
九	電信網路及通信原理	36小時	80分
十	Unix/Linux 系統管理	45小時	70分
十一	Unix/Linux 網站建置與管理	68小時	70分
十二	專題製作	90小時	75分
十三	專題演講	10小時	／
合計（總時數/平均分數）		600小時	83.9分

太空科學家秉正兄賀年

載興兄
培俊嫂

人生的成長，雖然須靠自己的智慧勞力和決心，但是得到親屬的愛護和朋友的鼓勵，更為重要。你們一直是在有形或無形中愛護與鼓勵我們的人，這種恩惠，我們永遠不會忘記。沒有時常向你們致候並請益，歉甚。今年舍下生活，堪稱平順，看到孫輩，我們格外高興。新春來臨，人人歡舞，特用這幾句從心底湧出的話，曝獻誠真，來向你們賀年。祝頌你們

闔府新年快樂健康幸福。

弟 王秉正
唐 玉

二〇〇五年十二月

肆　盡心篇

香港回歸祖國

歷經一百五十五年英國殖民統治，香港終于在今天重歸祖國，這是所有中國人的光榮，是我們值得慶祝高興的一天。

據今日聯合報登載的消息：

在香港會展中心舉行的中英香港主權交接儀式中，今天凌晨零時整，中國五星旗及香港特區旗升起，一分鐘前，英國國旗及港英政府旗降下。

香港特區政府，臨時立法會接著在今天凌晨一時三〇分宣誓就職。半小時後，臨時立法會通過「回歸法」，香港特區政府行政、立法部門正式換套運作，開始去殖民化後的第一天。

中共國家主席江澤民在香港主權交接儀式中致辭時強調：「香港同胞從此成爲『祖國』這塊土地上的眞正主人。香港從此進入一個嶄新的時代」，他並保證「中國政府」

堅定不移執行「一國二制」、「港人治港」、「高度自治」的基本方針，保持香港原有社會、經濟和生活方式不變、法律基礎不變。

英國查理王子則在交接儀式演說中，向過去一個多世紀親手創造一切的香港人致敬，並說：「我們對香港的承擔，我們與香港的密切關係，不但會繼續下去，而且還會隨著香港持續興旺發達而更形深厚。」

這場香港主權交接儀式，吸引了來自全球各國媒體到場觀禮，許多電視媒體並作現場轉播，估計有二十億觀衆收看這場世紀大典的實況。

黃載興 八十六年七月一日日記

難忘蘇澳的張鋒先生

張鋒先生是卅七年冬我入青年軍二〇七師的引導人。二〇七師從東北來上海整編，司令部駐輒規中學，我入司令部任委二書記官，雖在當時是經過考試寫一篇作文始通過任用資格的，但沒有張鋒先生（時任師部辦公室主任）的荐引，我是無法循門而入的，卅八年也就難能隨師來台灣，那麼，自己的前程，甚至生死，就很難逆料了，所以，我之能來台灣創下一點成就，雖有自己的努力，但飲水思源，決不能忘懷張鋒先生這個恩人，他給予我的栽植、扶持。

張鋒先生是廣東人，生性豪爽、善交遊，親朋戚友不計其數，然以時運不濟，離開二〇七師後，經營過菓園與電影事業，均遭致失敗，負債累累，以致夫妻離散，家庭破碎，住處生活都成了問題，經我多方的協調，使他得到住板橋仁愛之家的資格，其後又經輔導委員會政風處孫忠信處長的協助，得住蘇澳榮民醫院療養。不僅環境優美，生活安適，且有醫生照顧，眞是張鋒先生老年處境一項轉機，感激孫先生做好事，我每年都得去醫院探望二三次，每次看到他的身體日有起色，眞是快慰無比，我常和我妻談到：我們不求財富名望，但求心安理得，家和體健足矣，我爲老長官、老朋友盡點力，于心也安，我甚至節衣縮食，幫助別人解決一些困難，比如前年爲故鄉地方修通塘椅公路，接通橋樑，現在橋興路暢，不僅解決步行的艱困，車輛也可直達邵陽、婁底、漣源市區，可以貨暢其流，有助地方經濟的振興與人民生活的改善，此乃出于我妻的支援，從生活的節省使我能完成此一心願，雖不能算是做了一件大事，但能爲人、爲地方、爲社會行善服一點務，乃心理之最高安慰，思之亦無愧，無憾矣！

環境的影響力

早一向看到一位張永琛先生在世界日報副刊寫的一篇紀念他父、一生以打漁爲生，送他們三兄弟完成大學學業的艱苦歷程，令人感動！

張先生是中國大陸遼東半島涼水灣人，涼水灣在遼東半島的南端，總共祇七、八十戶人家，是個偏僻閉塞的小漁村，村民大多依賴打漁爲生，有些家庭生活環境可能好一點，但張永琛是生長在一個極端艱苦的家庭裡，他的父親惟一的家產祇有一隻舢舨和一張拼補而成的破網，他母親嫁給父親，連花轎也雇不起，是母親緊跟在父親的身後，走進涼水灣茅棚裡的。

母親嫁給父親後，每天站在潮汐邊向父親揮著手，父親推著舢舨漸漸遠去，駛離了岸邊，駛進了汪洋，到了暮色蒼茫中，母親又回到那潮汐的沙灘等待父親的歸來。然後把父親打回的魚蝦裝滿籮筐，送往二、三十里外的山村賒賬賣，母親伴著父親如此相依爲命的過著艱苦的生活，也漸漸地改善了他們的環境，把原來的小茅屋蓋成五間草房，並生育了三個孩子，可是父親仍然不改他依海爲伴的生涯，即使是在風雨中，他亦別無選擇的奔向海洋。有時，暴雨如注，母親帶著三個孩子，滿身淋得渾身精濕，母親也不退縮，她的目光被巨浪和雨簾斬斷，她決不灰心，等到父親回來爲止，她告訴孩子，衹要守候在這裡，父親就是被颳到了天涯海角，也都會感知得到的。

他的母親並不識字，但和父親堅貞相守，磨礪了他堅韌不屈的個性，也養成了她對知識的尊崇與渴望，她首先賣掉三間加蓋的草房，供大孩子完成哈爾濱的工業大學，繼續的把三個孩子都完成了大學的學業，這在涼水灣是破天荒的事，那兒生活在好一點的環境裡的孩子，他們沒有體驗到艱苦對他們的搏鬥，沉浸在享樂裡，沒落下去不會寫出如此眞實感人的文字！

科學的學庸

學庸兩篇乃傳述修己治人，修己安人的寶典。

孔子認爲政治的盛衰，決於爲政者人格的臧否。欲修明政治，當須提高爲政者個人的品德，因而，他的全部學說，就是教人如何修己立人，去促進人群關係的敦睦。中庸以「智仁勇」爲三達德，它說：「知斯三者，則知所以修身，知所以修身，則知所以治人，知所以治人，則知所以治天下國家矣。」與大學所說：「物格而後知至，知至而後意誠，意誠而後心正，心正而後身修，身修而後家齊，家齊而後國治，國治而後天下平。」都是一貫的強調修己立人的重要。由此可以瞭解：學庸教人修己立人用功的道理，乃是由裡而外，由近及遠，由心性推及於事功：它既不偏內而廢外，並不唯心而棄物，而是一部心物並重，內外一貫，知行一致，融哲學與科學於一體的教範。

孔子博大精深思想體系的建立，乃是由一個「仁」字以統攝，因仁是「全德之名」，它是一切道德權衡的標準：「仁者，人也」，它說明人與人在社會關係中的一體性：仁與智勇互訓，又說明仁者必智，以及勇於力行的道理。

孔子主張行仁的方法，是忠恕之道：所謂恕，就是要做到己所不欲，勿施於人。人所不欲，能夠不施，自然可以保持人己的社會關係，而不致爲政害仁。如果己所不欲，而強施於人，這便是有害於仁了。所謂忠，則是要做到己欲立而立人，己欲達而達人。這是孔子行仁更積極的方法。大學說的「格、致、誠、正、修、齊、治平」，中庸指出的九經：「修身、尊賢、親親、敬大臣，體群臣，子庶民，來百工，柔遠人」，莫不表現了行仁的積極精神。

自然，所謂「九經」和修齊治平的道理，俱是政治的條目，換言之，孔子行仁的理想，是期望藉政治去實踐和弘揚的，但軍事是政治的內涵，孔子並不忽視軍事的重要，甚至我們可以說：孔子的行仁思想，是文治與武功並重的，所謂「有文事者必有武備」，「執干戈以衛社稷」，都是最好的說明。中庸所說的「智仁勇」三達德，更是行仁精神的最高發揮，也是我們軍人精神的根源。　總理所最推崇的乃是大學中庸和禮運。總理在三民主義和軍人精神教育中，屢次提到大學之道和禮運的大同之治，「……軍人精神演講中所說的智、仁、勇，與生而知之，學而知之，困而知之的道理，都是由中庸一書而來的。」具體的說：　總理三民主義的思想，就是淵源於我國儒家一貫行仁的政治哲學。　總理論軍人「仁與忍」的基本觀念，尤爲我軍人實行三民主義，發揚固有文化傳統應有的體認。因爲戰爭的本質是行仁，它的目的在達到大同之治的最高理想；但當社會安全，國家獨立，與人類正義受到危害時，便非以忍的手段去徹底達成不可；這是勇的眞諦，亦就是所謂：「唯仁者爲能愛人，能惡人」的道理。所以：學庸不僅是一部最完整的政治哲學、教育哲學，也是我們軍人最高的人生哲學和軍事哲學。而哲學修養的工夫，在存養省察，體仁集義，亦就是明德修身，和定靜安慮得的功用，充分說明科學、哲學的基本精義，亦可使我們瞭然研究學庸，運用於軍隊領導統御和軍事略戰術的修養和要領。

軍隊的組織發展，管理運用，自應符合科學的精神，但這種精神的產生與效果的發揮，乃以哲學的修養爲基礎，至於戰略，戰術的運用，尤非深具定靜安慮，存養省察的工夫者莫能爲功。所以學庸兩篇實爲教人修己立人的字典。「科學的學庸」，更是經過時代鎔鑄的眞理。吾人自應切己體察，實踐力行，期收報國立人的功業！

黃載興心得寫作

記長江三峽

三峽是萬里長江一段山水壯麗的大峽谷，爲中國十大風景名勝之一。它西起四川省奉節的白帝城，東到湖北省宜昌市的南津關，由瞿塘峽、巫峽、西陵峽組成，全長一九三公里，它是長江風光的精華，神州山水中的瑰寶，古往今來，閃耀著迷人的光彩。

長江三峽，無限風光。瞿塘峽的雄偉，巫峽的秀麗，西陵峽的險峻，還有三段峽谷中的大寧河、香溪，使三峽的一山一水，一景一物，無不如詩如畫，並伴隨著許多美麗神話，令人心馳神往。

長江三峽，地靈人傑，它是中國古文化的發源地之一。著名的大溪文化，在歷史的長河中閃爍著奇光異彩，大峽深谷，曾是三國古戰場，是無數英雄豪傑馳騁之地，這兒還有許多著名的名勝古跡，白帝城、黃陵廟、南濂關的山水風光，交相輝映。

民國八十六年五月二十六日

花蓮行

花蓮，地處台灣東陲，昔日由於交通阻塞，中央山脈隔住了它的美，西部人士往往把它稱爲「山後」，筆者在這裡住過五年，我喜愛花蓮，不只因爲它有山海的壯美，尤其是民風的純樸，在今日各方積極致力開發，工商業日趨繁榮中，而不落於一般都市的喧囂浮雜，更顯得有它的可貴和可遊處，我寫這篇短文，願意爲未遊過花蓮的朋友做個嚮導，也爲我在花蓮的五年遊蹤留下點痕跡。

宜人的氣候

花蓮東臨太平洋，背負中央山脈，平地狹長，因此海陸風的流動特別明顯，白晝海風含水氣登陸，旋觸山脈，即激升而蒸發，瀰漫於數百里間，蔚爲雲海，至夜，陸風飄向海上，煙雲盡失，則可見月朗星輝，浩渺無際。花蓮所處緯度低，北迴歸線通過域內，而且太平洋暖流沖激，氣候溫和，宜於居家和耕作。西部人士未去過花蓮的，往往因受颱風地震傳聞的影響，而視爲畏途。當我初次奉調花蓮時，亦難免有此感覺，但在這裡住下幾年後，此地眞是四季皆春，令人依戀不捨。最顯明的，如果你從台北乘著飛機去花蓮時，夏天在台北正是暑氣逼人，可是在花蓮踏下機門，清風徐來，令你有如置身「茵夢湖」畔，感覺滿身的舒暢。相反的，當台北天寒歲末時，到了花蓮卻仍能享受大自然的溫暖。

優美的風景

花蓮，自然環境優美，風光如畫，這裡最負盛名的古蹟風景區，當以太魯閣爲最勝，從太魯閣沿橫貫公路前進，沿途崇山峻嶺，懸崖削壁，風景奇偉，尤以至天祥一段，山嶺陡峻，怪石嵯峨，奇峰突出，林泉秀美，更屬不可多見。其他值得瀏覽的風光景物，如花崗山的俯瞰，海天一色，壯闊懷暢；忠烈祠的登臨，亭台古木，氣象豪邁。此外，從花蓮南行，有瑞穗、紅葉、玉里溫泉，和鯉魚潭等風景區，均是花蓮縣境可遊名勝。鯉魚潭，花蓮當局並已計劃興工建設，將來可期與大貝湖風景媲美。

山胞的生活

花蓮在清朝以前就有山胞居住，除了阿美、平埔、泰雅族外，大部屬閩、客兩籍的移植。清代對山胞採封鎖政策，使與平地住民隔絕，因此文化發達較遲緩，至今居住在高山的山地同胞，仍有度其狩獵生活的，兩者的風俗習慣，極不一致。光復後，政府本民族平等原則，對山胞儘力扶植，一切生活習慣已逐漸改進，如過去的奇裝異服，臉部刺墨等均已不可多見，但在飲食、居處、婚嫁方面的風俗，看來仍然是頗饒趣味的，山胞無論男女，多嗜酒好舞，遇豐年祭典，更是熱鬧非常，各村都要排定時間，備酒食，高歌狂舞，徹夜不輟。婚嫁禮俗，昔時常因頭目、平民之階級地位而不同，今已逐漸消失，一般青年男子，年十七、八歲，常乘夜間工作之餘，訪問女家，未婚女子對來訪男子，各以情歌，一唱一和，合則可締結夫妻。但現仍有聘禮之俗，鎌刀、鳥槍、貝殼、銀錢均可做爲聘禮。至期，亦有率親友至女家搶親的，近因政府致力改善，此風已不常見了。

文化與教育

花蓮在文教方面由於政府的積極倡導與建設，已日漸普及，現花蓮縣境有省立中學二所，省立職校三所，縣立中學四所，職校一所及私立女子中學一所。文化事業方面，有東台、更生兩日報，及中廣、軍中、正聲、復興等廣播電台，和近年創刊的中華青年雜誌。花蓮這些年來文教的進展於此可見，但我們若與西部比較，顯然仍是遠爲落後的，如在高等教育方面，花蓮目前除了一所軍事學校外，尚無大專學校的設置，使東部青年的就學與教育的發展，受到極深的阻礙，這是有待教育當局進一步努力的。

積極的開發

花蓮物產蘊藏豐富，惜多未開採。年來，政府爲繁榮本省經濟，適應國策需要，已積極致力於東部的開發工作。首先是行政院退除役官兵輔導委員會對橫貫公路的策劃開通。此路全長三四八．一公里，橫貫中央山脈，地勢險峻，經工程人員及退除役官兵的艱苦奮鬥，歷五年時間，於民國四十八年七月完成通車。沿線物資可供開採者甚富，如林產、礦產、農牧、水力等等，今後必可逐步開發起來。其次是花蓮港的擴建，此港原僅可停泊七千噸級以下船隻，而且目前航行遠洋的輪船多在七千噸以上，因此，政府早有擴建計劃，至四十八年行政院決議開放花蓮港爲國際港後，乃於同年四月施工，第一期工程已經完成，可停泊一萬噸級輪船，今後本省東部特產輸出，不必再經高基兩港轉運。又在空運方面，舊有機場亦已從新舖修，將泥土面改修爲水泥面，使對外航運不致受大雨沖激而關閉之影響。

美麗的遠景

花蓮是美麗的。省府爲配合花蓮各方面的發展，並已計劃在美崙建設一個新市區，此地有遼闊的工業用地；面臨海港，交通方便，新市區建設完成後，甚有助於政府對東部經濟與觀光事業的發展。現在，這裡的幾條大的馬路均已舖修竣工，許多大建築物也已一幢幢從這塊原極荒蕪的原野上矗立起來！於此使我亦默默的憧憬到：在政府積極建設台灣，開發東部的全面努力中，花蓮——一個更美麗的遠景。

民五二年八月登暢流月刊

伍 保健篇

附錄：

什麼是「健康」

台北榮總家庭醫學科醫師　余儀呈

大部份的人都會認爲自己是關心健康的，因爲沒有人願意失去健康而承受疾病的痛苦。可惜的是，許多人都不知道「健康」的眞諦，多半以爲「健康」就是身體沒有疾苦，祇要不生病就是健康。筆者任職臺北榮民總醫院家庭醫學科五年，資歷尚淺，談不上經驗、學識以分享大衆；唯有鑑於「健康信念」影響吾人疾病行爲甚鉅，故不揣淺陋，特以本文與大家談談「健康」的一些觀念。

世界衛生組織對「健康」一詞所下的定義是：「一個人在身體、心理及社會三方面均能安全安寧的狀態。」也就是人的健康並非祇是肉體的安適而已，必須兼顧心理情緒的平衡，以及健全無礙的社會發展——如待人、處事、職業、婚姻、家庭等方面的活動。因此，「健康」的追求是無止境的，當身體、心理及社會三者其中任一樣失去安寧、安適的狀態時，一個人便臨了健康的威脅。此時，他若能適當的調整、應付或處理它，那麼這個人便是在追求（重拾）健康；反之，若是他無法應付它，那麼這個人便是「生病」了。以此來界定「健康」，下列一些觀念恐怕值得我們深思：

一、身體的疾病才是病，一個人不應無「病」呻吟：這個觀念在中國人尤為明顯，大家可能都曾經有過失眠、頭痛、腹痛、胸悶、呼吸急促，手發抖、冒汗……等經驗，找醫師檢查又找不出毛病，當被告知無「病」時，實在很難接受。的確，這些症狀的出現便意味「健康出了問題」，您確實是生病了，但由於我們都以為只有身體會「生病」，而忘了日常生活的煩惱、壓力、家庭或事業的衝突……等，不知不覺中也可能剝奪了您心理及社會方面的「安寧」，間接也導您寢食難安，消化不良，肌肉緊張，所以，「有症狀卻說沒疾病」就使您無法接受了。

二、「疾病」與「健康」是截然劃分的兩種狀態：這個觀念讓許多人不了解醫師為何要病人吃高血壓藥，明明人好端端的，又要減肥，又要少吃這個，少吃那個的；同樣地，這個觀念也使得不少人為了不值得煩惱的問題而拚命遍訪名醫，尋求祕方。事實上，疾病與健康是同一件而由人為界定的不同點，疾病早期可能不會出現任何徵兆而令人誤以爲「健康」，而相安無事的正常菌叢在人體內的生長也絕非「病態」，事實上，大家切勿以爲只有「生病」才看醫師，一個人日常生活中的一切起居作息，也都與健康相關，平常不維護「健康」，有時「疾病」來時，醫師處理都嫌遲。奉勸大家一句，健康是靠平時的維護，而不祇是生病時的求醫。

三、身體有缺陷就不算健康：其實若按前述之世界衛生組織的定義，一個人雖然身體沒有疾病，但卻始終顧慮自己的健康，整日愁眉苦臉，工作也無信心，這時他已不能算「健康」；反倒是一個病人若對自己身體既有的缺陷（甚或疾病）能抱持合理的態度，積極的調適，而且在心理、社會的層面仍保有安寧的狀態，則其較之前者更有資格稱爲「健康」。

上述幾個錯誤觀念相當常見，無論對醫師或病人都可能造成困擾，有時對健康的保障也反而受損。希望大家在珍惜健康同時，不要祇重視吃藥打針看醫師，平常的保健預防及飲食起居更是重要的養生之道，而且也要重視心理及社會層面的「健康」。如此，相信必能延年益壽，老當益壯而身心愉快。

運動與健康

張　明先生

任何人都希望自己能夠健康長壽，能夠活得很好！如何纔能夠使自己健康長壽？能夠活得很好？我們中國人幾千年來就有兩種主張：一種主張動，一種主張靜；這兩種主張的人，雖說都是知識份子，很明顯的主張動的人則佔多數；主張動的人說：人要活就要動；不動就不能活得好、活得久；越動得多，就越活得好、越活得久……還說：機器停擺會生銹，石頭滾動不長苔；走出戶外精神爽，手腦多用免痴呆。先賢更說：「流水不腐，戶樞不蠹」。

世界上也有多位科學家、哲學家、文學家、醫學家、心理學家……，其中最具代表性人物如懷特等六位，也都認爲一個人要有健康，就必須運動。

㈠懷特說：「對人的生命最大威脅是以車代步，而不是交通事故。」

㈡伏爾泰說：「生命在於運動。」

㈢戈費朗特說：「世異上沒有懶人能長壽。凡是長壽的人，一生總是積極運動的。」

㈣蒂素說：「運動的作用，可以代替藥物，但所有藥物，不能代替運動。」

㈤亞里斯多德說：「最易於使人衰竭，最易於損害一個人的，莫過於長期不從事體力運動。」

㈥馬約翰說：「動是健康的源泉，也是長壽的祕訣。」

以上六位先賢先哲所說運動的重要，雖說都是至理名言，以我這個活了九十一歲，就有長達六十年之久大病小病不離的人，竟然能夠從極不健康而有今天的健康，我的體驗則是：一個人要有健康，運動確實極爲重要，但一個人是否健康？指的應該是身心兩者俱健；如何纔能使得一個人身心二者俱健？我以爲單靠運動是不夠的，因此，我在二十多年前，基於對健康的認知，曾提出健康六有守則，即是：一、起居有定。二、飲食有節。三、作息有時。四、運動有恆。五、取捨有義。六、心中有愛。我認定一個人如對此六者都能做到，其人就一定可以使得一己身心俱健、滿心喜樂而健康長壽！也正由於我二十多年來能夠日復一日，月復一月，年復一年的絕對堅持做到自己所倡導的健康六有守則，也纔能使得我戴了四十多年的老花眼鏡，如今不再戴它便能夠看書、閱報、寫文章；兩耳聽覺，仍然敏銳，不減當年；禿了二十多年的頭，如今都長出了新髮；有人問我：是否吃了甚麼藥？擦了甚麼生髮油？我不但沒有，而且長出新髮，還是在家人爲我洗頭時發現的。再就是二十多年前，三天兩天我都會傷風感冒，不是瀉肚，就是便祕，如今，十多年來，我不曾瀉過肚，也不曾有過便祕與傷風感冒；最難得的是我原罹患胃下垂有兩英吋之多，如今也於不知不覺中，不期然而然的痊癒了！我的健康能有今天這樣一張成績單交出來，眞可以說出乎我自己的意料，就不能不歸功於我能確切實踐自己所倡導的健康六有守則了；二十多年來，我生活規律，營養均衡，且從不多吃、不貪吃、不偏吃、吃得又很清淡，尤其對取捨有義心中有愛兩條，做得最爲徹底；舉凡自己日常言行，於所思、所想、所作、所爲上，都莫不在心意初動之時，就會先行考慮我之所思、所想、所作、所爲是否基於一片愛心？是否合情？合理？合法？我一直認爲一個人如果在所思、所想、所作、所爲上存有邪念、歹念、惡念……都足以使其人做出傷天害理的事來；也正由於「人之初，性本善」，像孟子所說：「惻隱之心，人皆有之；羞惡之心，人皆有之；是非之心，人皆有之……」指的是人性之中，天生的就具有「良知良能」，任何一個無惡不作的人，做出了傷天害理之事，其人也就不會尊重生命、愛惜生命，就更不會有眞正的快樂；一個沒有快樂的人，也就必然不會有健康的身心！相反的，一個人於所思、所想、所作、所爲在心意初動之時，就能基於一片愛心，結果就必然會使得其人由於想了一椿好事、做了一椿善事，感覺得滿心充滿喜樂；也必然會使得其人精神愉快、情緒舒暢、身心健康！至心中有愛這條，我以爲所謂愛，嚴格說應該像天上的太陽，它既照人間好人、也照人間歹人；因爲歹人更需要我們基於一片愛心、誠心、誠意去幫助他、鼓勵他學好，做一個好人！我一生從事教育工作，非常熱愛品學兼優的學生，卻也特別關心品行頑劣的學生；總覺得品行頑劣的人，更需要愛！更需要幫助！我人去愛一個品行頑劣的人，益能使得「烏鴉變鳳凰」，也就一定會使得其人自身先有著莫大的成就感與無比快樂，對其人的健康，必然會有莫大的助益！

（作者爲前陸軍官校政戰部主任，創辦台中勤益工商專校，並於數年前將學校捐給政府，是位愛國、愛青年的好長官）

什麼運動最好？

根據調查，在美國的運動學專家，最常被請教的十個問題中，佔第一位的是「什麼運動最好？」

要回答這個問題並不簡單，首先必須知道「你爲什麼要運動？」然後根據你的體能狀況，與興趣及從事運動的機會，來選擇一項或兩項，最適合你的條件和要求的運動。換句話說，這個問題並沒有固定的標準答案，它是因人而異的。

那麼每種運動各具有什麼優點和缺點呢？以增進心肺耐力而言——效果最好的是慢跑、游泳和騎腳踏車，其次是溜冰、跳繩、網球和有氧舞蹈，其餘的都不很有效。

就改善身體的柔軟度而言——游泳、網球、舞蹈和太極拳的效果較好，其次是桌球和羽毛球，其他的則不明顯。

以消耗熱量來達到減肥效果而言——最有效的是慢跑和騎腳踏車。其次是游泳、網球、溜冰、有氧舞蹈和跳繩，其他的都很難達到目的。

從鍛鍊肌肉，幫助消化和改善失眠的效果來比較——最有效的是慢跑、騎脚踏車和游泳，其次是溜冰、跳繩、網球、舞蹈、健行登山、桌球和羽毛球等。

對老年人，心肺功能輕度障礙或關節炎的病人而言——慢跑並不適合，相反的，步行卻是很理想的取代性運動，而且較少發生運動傷害。但是走太慢，運動效果並不顯著。同樣的道理，桌球、羽毛球、高爾夫球、保齡球、土風舞和太極拳等運動，雖然心肺耐力的效果不如慢跑、騎脚踏車和游泳等項目，但是娛樂消遣的價值很高，比較容易吸引一般人參加，而且只要持之以恆地作，對身心健康幫助極大，值得推薦和提倡。

由上述可知，慢跑是一種最完整的全身性協調運動法。它不僅對肌肉、呼吸系統很有幫助，且對心臟和肺部都有很大裨益。更有些人相信，慢跑能使體內陳舊的組織，及廢物等被完全燃燒，轉爲熱能。由於血行良好，腸胃機能轉強，頭腦清晰，記憶力也提高。根據日本東京藝大生理學教授小野三嗣指出：隨著年齡的增加，負責將血液送到各臟器組織的血管會發生變化，逐漸增大對血液循環的抗力，心臟的負擔隨著增加，機能低下。以前的人認爲老化由血管開始，血管老化之後，就不能順暢圓滑的將氧氣和各種營養輸送到各臟器組織內，慢跑比步行更有益於肌肉的鍛鍊。

的確慢跑可使體重減輕，降低高血壓，減少心臟病的發作，增加氧氣吸收，增強彈性及體力。有一些醫生又認爲沒有一個馬拉松長跑者，死於動脈硬化，有的醫生更比喻這是長生不老之藥。

心臟要常常訓練，機能才會強健，中年以上的人最怕有心臟血管系統的疾病，而慢跑就是一方面增加氧氣量，一方面又可以訓練心臟及血管機能的最好運動方式之一。筆者年近六十，三年前公保健康檢查，發現左心室肥大，經過一年餘之慢跑，現在已癒好了。

開始慢跑運動時的注意事項

雖然慢跑運動有益健康，尤其對老年人，更有助益的事實已獲證實，但要開始慢跑之前，最好先接受醫生診察，確實沒有因慢跑而惡化的疾病與身體異常者的現象。

慢跑前後，甚至跑的時候也要注意檢查自己的身體狀況，如果發現有下列症狀時，應立即停止跑動。⑴隨著運動開始，胸痛加劇或胸內有絞痛的感覺。⑵高度的呼吸困難及強度的疲勞感。(3)四肢肌肉感到激烈疼痛。(4)足關節、膝關節、股關節等的疼痛。(5)有頭暈、嘔吐、冷汗、低血壓等症狀時。

慢跑的速度

美國現在也流行騎腳踏車或走路上班。但是走太慢，運動效果並不顯著。一般每分鐘走七十五公尺，可以獲得〇·五公升的氧，若是以每分鐘九〇公尺的速度慢跑，氧氣的獲得會增加五倍，達到二·五公升之多。

慢跑運動的要訣，就是要找到最適合你自己的步度，也就是步子的快慢和大小，不是一個固定的數字，應有合理彈性的範圍，在這範圍之內跑起來，如果最感舒適，那就是最適合你的速度。

甩手運動的治病哲理

甩手運動、對有隱疾（慢性病者）有一定的治療效果，因其運動重點，在手指、手腕、手掌、足趾、兩腳、膝部、肩臂、胸腹、肛門、全身筋脈，同時牽扯，使其伸縮運動，對於氣血流暢，幫助很大。人的臟腑，血氣榮枯，身體強弱，端視氣血的暢行。人體的「熱」（能源）是支持內臟運作的要素，一部機器如無能源，如何開動呢？人的氣血充足，血液循環正常，疾病自然不生。因此，你若能一心一意，集中精神地去勤練甩手運動，不起煩惱思維，精神自然更好，全身細胞運作愉快，新鮮養分不斷供輸，廢料排出順利，一定能改善體質，袪病延年。若得要領，更可收事半功倍之效。

甩手運動能健身治病，舉例概述如下：

▲胃下垂、慢性胃炎及心律不整——治癒率很高。

▲神經衰弱、失眠、體疲、頭昏、心煩——勤練甩手功，舒筋活絡，氣血順暢，即

可神清氣爽。

▲腎虛腰痛——勤練甩手運動，經脈通暢，手足熱，可消除腰痛。

▲月經不調、生理疼痛——多起因於骨盤腔及內心殖器官，本運動著力點在下盤，有助該部份氣血流暢，減輕疼痛感。

▲血壓高低、關節發炎——勤練甩手運動，痊癒實例甚多。

▲中風復健——勤練甩手運動，復健效果更佳。

▲治糖尿病、肺病——甩手運動，對肺腰胰臟，皆有療效。

▲消除癌症、氣血留滯所生毒瘤——勤練甩手運動，血氣既暢，毒瘤自清。

綜上所述，祇是概略，許多慢性疾病，亦具功效。必須適當行之，不可過勞。

參照圖式

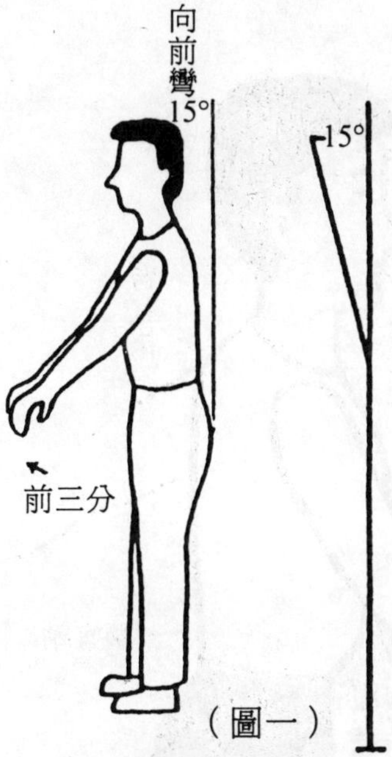

（圖一）

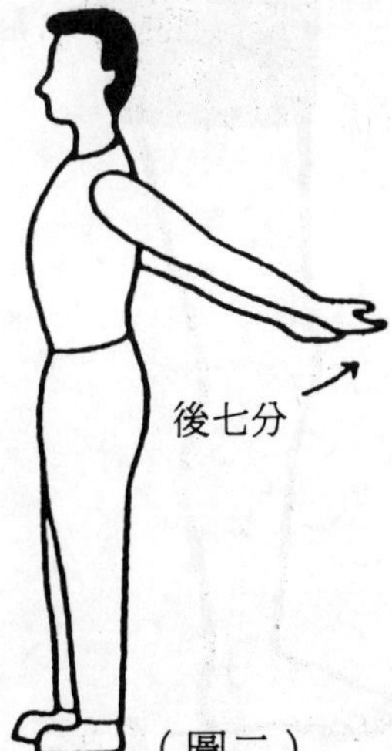

（圖二）

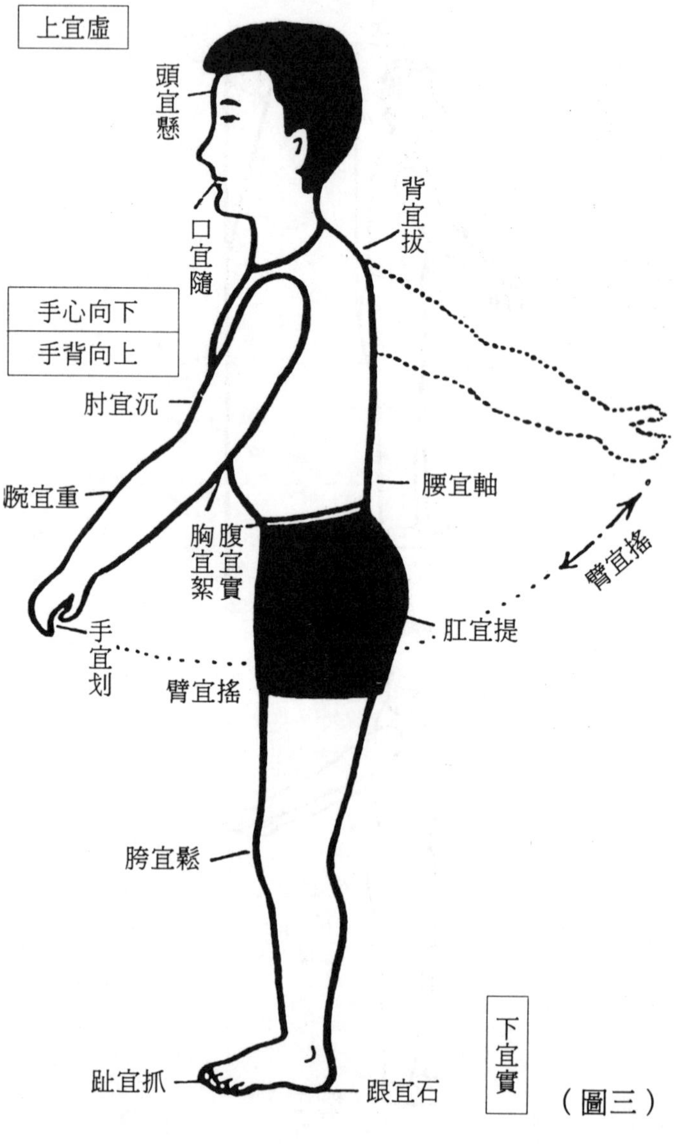
上宜虛
頭宜懸
口宜隨
背宜拔
手心向下
手背向上
肘宜沉
腕宜重
腰宜軸
胸宜涵
腹宜實
臂宜搖
肛宜提
手宜划
臂宜搖
胯宜鬆
下宜實
趾宜抓
跟宜石

（圖三）

甩手十六要訣

(1)上宜「虛」——將自身上體放輕鬆，完全空虛。
(2)下宜「實」——將身體的重量落實在腳趾跟處，有上輕下重之感。
(3)頭宜「懸」——頭的安立如懸物要正。
(4)口宜「隨」——嘴巴微微合起。
(5)胸宜「絮」——胸部如棉絮輕鬆柔和。
(6)背宜「拔」——背脊立拔正直。
(7)臂宜「搖」——手臂似划船似的前後搖甩。
(8)腰宜「軸」——腰脊骨軸心帶動前後擺動。
(9)肘宜「沉」——肘部下沉，往後甩出。
(10)腕宜「重」——加重腕部用力向後翻，掌心向上，使胸部擴張。
(11)手宜「划」——手向後作划船狀，並使內臟不斷牽動。
(12)腹宜「實」——肚子保持堅實，自有上輕下重之感。

⒀胯宜「鬆」——胯部自然輕鬆（膝部放鬆，稍屈亦可）。

⒁肛宜「提」——如忍便一樣，將肛門收縮上提。

⒂跟宜「石」——將臀部稍下沉，腰伸直，自然腳跟穩如磐石。

⒃趾宜「抓」——足趾似有勾抓著地面，（如直立不曲膝亦可）足趾落實抓穩，如此便達到「上虛下實」的目的了。

甩手注意事項

甩手運動，從頭至腳，整體內外，皆有關聯，練習時，須注意以下要點，收效較快。

⑴甩手時，以空腹爲宜，如飯後須隔二、三小時，以免波及腸胃。

⑵頭放平正，眼向前視，袪除雜念。

⑶初習時，至少甩手數百次，逐漸視體力增加，可用甩甩停停，到二〇〇〇次爲止。

⑷自己點數次數，一心專注，勿生雜念妄想。亦有默念「阿彌陀佛」，可助心靜。

⑸甩手進行時，舌尖輕頂上顎。

⑹快慢適度，初學時，每五〇〇次甩手，以十五分鐘計，由此類推，一〇〇〇次三

十分鐘，做二〇〇〇次，適爲一小時。

⑺練習久了，亦可試著閉氣來做（即忍著呼吸），如此更能刺激內臟的氣血，若不能忍久時，量力而爲即可。

⑻收縮提升肛門，能用意守著肛門，不使下墮，即可幫助加強中氣的功能。

⑼甩手時，身體直立，兩腿分開與肩同寬，腳趾用力抓住地面，氣沉丹田，身體感覺「上虛下實」。

⑽兩臂同方向前後搖甩，兩手向前輕舉，後甩時，用點力氣。由彈力自行來回運甩，「上三下七」即前方出手用三分力，後方用七分力甩去，用力在後方四十五度之下，兩臂伸直不宜彎，眼睛向前看，心念明正安住。

長壽之道

二十三歲醫科畢業。我爲此感到榮幸，因爲我二十五歲的時候並沒有埋進墳墓裏去，到現在已經是九十五歲了，仍然頑健如昔，還可以擔任職務上的工作。我已經爲人類服務了七十一年。如今我的血壓正常，心臟功能良好，體重並無改變。我從爲人類服務中獲得快樂，自己並不覺得有任何體質上的毛病或軟弱——只有聽覺方面稍遜少壯而已。

當我一面行醫又在各處建立醫藥機構時（米醫生在中國大陸各大城市先後建立了十六間醫院），我另一方面最大的發展就是研究食物與營養。我覺得眞是幸運，有機會到中國做傳道工作，以致發現了糙米與黃豆含有特殊的營養成份。黃豆實際是最佳肉類代用品，同時亦可製成完全的牛奶代替品。（豆奶粉是經過一番心血才研究出來的配方）。

長壽十訣

現在您問我長壽的祕訣。我願將自己提倡並實行的一些基本健康習慣簡略地介紹於後：

一、完全戒絕有害的嗜好。如：飲酒、吸煙。甚至不喝含有刺激性的飲料，如：茶、咖啡、可樂等。（現今許多人利用刺激物鞭策自己的神經，然後又服用鎮靜劑使疲憊不堪的神經安定下來，何其不智若此。）

二、善擇飲食。「要爲活而吃，不要爲吃而活。」是句美好的座右銘。可惜，口味並不是一個安全的抉擇標準。有些人抱怨說：「爲甚麼味道佳美的食品不是難於消化，就是含大量膽固醇，或容易使人發胖？」我們可以訓練口味愛吃單純，富營養的天然食物。要學會平衡自己的飲食是不難的，這樣就會獲得一切身體所需的養分，最佳的能量，和那些增強抵禦疾病的物質。

三、要好好照顧您的胃。吃得過量不但使胃的負擔加重，整個消化系統都會不堪負荷。要按時進食，不要在兩餐之間或深夜進食。偶然作短期禁食——完全不吃東西——其益處遠超過任意進食有害的，或太豐富的食物。

四、摒除憂慮。憂慮會使人失眠，減弱或防礙消化，使腦部疲倦，削弱一切重要的功能，並且時常導致整個體系受損壞。要尋求上帝。聖經說：「因爲他必將長久的日子，生命的年數，與平安加給你。」（箴言三：二。）我的宗教信仰使我完全信靠上帝。雖然我負有重大責任，且遇見許多困難，然而我學會將一切憂慮完全交託主，晚上就安然入睡。感恩的心會促進長壽。爲甚麼不繼續感謝上帝的慈愛與護庇呢？

五、殷勤工作。身體的勞動及心智的工作並不會對人有害，乃是有助益的。才幹廢置，能力不運用，才幹能力就會衰退萎縮，乃是自然的定律。運動促進生長與發育，因爲身體要供應更多的血液以滋養被運用的部位。我相信由於我每天都忙於工作，所以就獲得健康作爲我的獎賞。中國古人說：「戶樞不蠹。」就是這個道理，所謂：「天行健，君子自強不息。」

六、注意體重。一個人六十五歲以後的體重不超過他二十五歲時的體重。壯年體重增加十磅或十五磅並不算很嚴重，但過了五十五歲後，體重就要減到像青年時一樣。

七、儘可能避免生病。若生病，要得到最好的護理以便早日復元。必須以健康爲滿足。雖然身體並無不適，仍要每年作一次體格檢查。

八、有規律的日常生活。在飲食、睡眠、運動和工作方面都要養成有規律的習慣。我很早起床，並儘可能早睡。不過，與其他醫生一樣，當我照顧危急病人或在晚上施行緊急手術時，就會損失了許多睡眠的時間。對於許多規則難免會有例外。

九、要儘量使用天然維護及恢復健康的媒介。如：新鮮空氣、陽光、和清潔的水（體內和體外用文），運動，適宜的休息與積極的思想。

十、注意，過猶弗及。只要研究權威人士所提供的優良生活規則，去認眞實行就夠了。不必整天掛慮到您自己的健康。只要平穩地過活，敬業樂群，樂於與家人及朋友交往。心懷歡暢，面帶笑容，眼睛明亮，步履輕快，做事有計劃，人生有盼望。願上帝賜您一個美滿的人生。

現在開始

也許有人會嘆息說自己年紀不小了，現在想獲得健康長壽恐已嫌遲？能儘早開始過健康生活是最好的；不過現在開始並不算遲，「現在」就開始過合乎衛生規律的生活，總會有機會改善和改進你的生活的。祝福每位讀者

同登壽域。

時兆之聲電視部提供

九五高齡營養學者米勒耳博士手撰

養生經（摘要）

齊國力

依國際標準，人的壽命是一百～一七五歲。實際上多未達到此標準，因爲人們不重視保健或不懂得保健。

最近國際上，在維多利亞開會發表宣言，揭示三點。一是「平衡飲食」，二是「有氧運動」，三是「心理狀態」。分述如下：

一、平衡飲食：

㈠飲的方面：國際會議上定出六種保健飲料：

1. 綠茶：綠茶裡含有茶坨酚、茶甘寧、氟等物質。茶坨酚是抗癌的，每天喝四杯綠茶，癌細胞就不會分裂，即使分裂，也要延遲九年。茶甘寧是提高血管彈性的，使血管不易破裂，就沒有腦出血的危險。氟不僅能堅固牙齒，還能消滅蟲牙和菌斑。

2.紅葡萄酒：紅葡萄皮上有一種逆轉醇，具有抗衰老作用，也是抗氧化劑，常喝紅葡萄酒的人，不易得心臟病，也可防止心臟的突然停轉。如每天喝50-100毫升的紅葡萄酒，可以降血壓、降血脂。如不能或不便喝酒的人，吃紅葡萄不吐皮，也可達到同樣的效果。

3.豆漿：豆漿裡含的是寡糖，可以百分百的吸收。還含有鉀、鈣、鎂等成份，特別是鈣的成分比牛奶中的含量還多。豆漿另有五種抗癌物質，其中飴黃酮專門預防、治療乳腺癌、直腸癌、結腸癌。

4.酸奶：因爲酸奶是維持細菌平衡的。所謂維持細菌平衡是指有益的細菌生長，有害的細菌消滅，所以吃酸奶可減少生病。

5.骨頭湯：骨頭湯裡含有豌膠，豌膠是延年益壽的。

6.蘑菇湯：因爲蘑菇能提高免疫功能，所以是保健品。

(二)食的方面：

1.穀類：

(1)老玉米：美國醫學會調查發現，印第安人沒有高血壓，也沒有動脈硬化的毛病，原來是他們都吃老玉米。老玉米裡含有大量的卵磷脂、亞油酸、穀物醇、VE。所以不發生高血壓和動脈硬化症。

(2)蕎麥：蕎麥可降血壓、降血脂、降血糖。蕎麥裡含有十八%的纖維素，吃蕎麥的人不易得胃腸道癌、直腸癌、結腸癌等。

(3)薯類：白薯、紅薯、山藥、土豆等，因爲它們能吸收水份，吸收脂肪和糖類、吸收毒素。吸收水份，潤滑腸道，不得直腸癌和結腸癌；吸收脂肪和糖類，不得糖尿病；吸收毒素，不發胃腸道癌症。

(4)燕麥：吃燕麥粥和燕麥片，可以降血脂、降血壓、降三酸甘油脂。

(5)小米：小米能除濕、健脾、鎮靜、安眠。晚上吃一碗小米粥，絕不會失眠。

2.豆類：經過普查，國人都缺乏優質蛋白。而大豆中的含量卻很高，一兩大豆的蛋白等於二兩瘦肉，等於三兩雞蛋，等於四兩大米。美國人每年訂八月十五日爲豆腐節，他們認爲大豆是營養之花，豆中之王。

3.菜類：

(1)胡蘿蔔：第一、它養粘膜，不容易感冒。第二、健美。第三、有點抗癌作用，而且對眼睛特別好。胡蘿蔔不怕高溫，不管溫度多高，它的營養不變。

(2)南瓜、苦瓜：南瓜刺激維生素細胞，產生胰島素；苦瓜分泌胰島素物質，常吃南瓜、苦瓜的人不易得糖尿病。老年人應常吃。

(3)蕃茄：裡面含有蕃茄素，它和蛋白質結合在一起，周圍有纖維素包裹，很難出來。所以蕃茄必須加溫吃，生吃不抗癌。

(4)大蒜：大蒜本身不抗癌，必須先把它切成薄片，放在空氣中十五分鐘，跟氧氣結合產生大蒜素，就是抗癌之王。吃過大蒜後，再嚼點茶葉或山查，就沒有臭味了。

(5)黑木耳：吃黑木耳使血液不黏稠，不會得心肌梗塞。這是美國心臟病專家發現的，現已得諾貝爾獎。

(6)花粉：是植物的精子，營養最豐富。美國前總統雷根、我國古代武則天、慈禧太后都曾服用。尤其夜尿頻繁的人，花粉的治癒率佔九十七％，不過吃花粉要經過處理、消毒、脫敏手續。

(7)動物：聯合國WHO建議大家多吃點雞和魚，蝦子也很好。三者比較，蝦比魚好，魚又比雞好。而且魚蝦要愈小愈好。

食量應特別控制，通常七成飽最好。國際建議〇・六一八與〇・三八二爲黃金分割線。主副食搭配亦如是：副食六，主食四；粗糧六，細糧四；植物六，動物四。

人剛出生，喝母乳就夠營養。五個月以後需要四十二種以上食品才可以，老年人就更難了。因此我鄭重推荐一種食物，名字叫海藻。因爲形似螺旋，所以叫螺旋藻。它的營養最豐富、最全面、分布最平衡，而且是鹼性食品。據實驗：一克螺旋藻的營養，等於一千克蔬菜的綜合，八克螺旋藻可以維持四十二天的生命。功用如下：

第一、對心腦血管疾病，能降血壓、降血脂。

第二、對糖尿病，能補充維生素，不得併發症。

第三、對胃炎、胃潰瘍病，能恢復胃粘膜作用。

第四、對肝炎，能使病毒不複製，大量胺基酸使肝細胞恢復，膽鹼能提高免疫力，恢復肝功能。

第五、防輻射，對電腦工作者特別有益。

二、有氧運動

國際上規定：早晨六時起床，開窗時間：上午九至十一時，下午二至四時。因爲早晨六至九時，是致癌最危險的時期，九時以後，污染空氣下沉，污染物減少了，沒有反流現象。早上不宜做劇烈運動。因早上基礎血壓高，基礎體溫高，腎上腺素比傍晚高四倍，有心臟病的人更不宜做劇烈運動，要鍛鍊身體最好在傍晚。國際規定飯後四十五分鐘才可運動，老年人散步二十分鐘即可。太陽未出來之前，不要到樹林裡去，須等太陽出來，日光與葉綠素起反應，產生氧氣之後才可以。

致於睡眠時間，我們主張晚上十時到十時半開始，一小時至一小時半進入深睡，十二時至凌晨三時是深睡期，三時以後爲淺睡期。睡前洗個熱水澡，水溫 40-50 度。被子不宜太厚，保持頭涼腳溫。中午睡一個小時，多則無益。

三、心理狀態

心理狀態分爲兩方面。消極方面是不生氣，積極方面是笑口常開。

㈠不生氣：美國史丹福大學做過一個有名的實驗。拿鼻管擱在鼻子裡。讓你喘氣，然後再將鼻管放在雪地裡十分鐘，如果冰雪顏色不改變，說明你心平氣和；如果冰雪變紫，紫色冰雪抽出 1-2 毫升注射到小老鼠身上，小老鼠 1-2 分鐘就死了。所以生氣容易得腫瘤，不可不察。如何避免生氣，有五個方法：一是躲避，人家罵你聽不到。二是轉移，要生氣時去釣魚或下棋。三是釋放，找個知心的朋友談談。四是昇華，愈罵愈好好幹。五是控制，也就是忍耐，忍一時風平浪靜。

㈡笑口常開：美國成立微笑俱樂部，笑成了健康的標誌。所謂笑一笑，十年少。哈哈大笑，皺紋沒了。笑的時候微循環旺盛，不得偏頭痛、後背痛。笑能使性功能、生殖功能不減弱，羅馬尼亞人笑口常開，九十二歲老太太還能生胖娃娃。每天大笑三次，肚子咕嚕三次，不便祕、不得胃腸道癌症。笑可促進腦下垂體產生腦內坯，是天然麻醉劑。每天常笑吧，充分發揮人類特有的功能。

國際會議上已提出警告，讓我們喝綠茶、吃大豆、睡好覺、常運動、不要忘記歡笑。希望每個人注意平衡飲食，有氧運動，並且注意心理狀態。相信我們能延年益壽，健康快樂。